Un paso más

A BBC RADIO COURSE

Un paso más

A BBC RADIO COURSE

WRITTEN BY

Brian Dutton M.A., Ph.D.

Associate Professor of Spanish,
University of Georgia, U.S.A.

AND

Angel García de Paredes

Ldo. en Filosofía y Letras (Madrid)

Language Research Centre and Spanish Department,
Birkbeck College, University of London

PRODUCED BY

Alan Wilding

BRITISH BROADCASTING CORPORATION

First published 1969

Published by the British Broadcasting Corporation
35 Marylebone High Street, London W1M 4AA

Printed in England by Unwin Brothers Limited
The Gresham Press, Old Woking, Surrey, England

SBN 563 08443 X

Indice

Mírelas bien a ver si falta algo	Take a good look at them to see if anything is missing
Mientras tanto	Meanwhile
¡Cómo pesa esta maleta!	How heavy this suitcase is!
una cabe aquí en el asiento de atrás	there's room for one here on the back seat
Por cierto	By the way
¡Otra vez ese maldito teléfono!	Not that blessed telephone again!
¿Quién será ahora?	Who can that be now?
no se enfade usted	don't get excited
Todo está arreglado	Everything is all right
usted lo pase bien	have a good time
Ahora sí que tengo que irme	Now I really have to be going
Otra vez	Not again!
¡Qué cabeza la mía!	What a memory I've got!

NOTAS

Since this course assumes a previous knowledge of Spanish, here are some revision points the learner is expected to know:

1 Gender and number: *Articles and demonstratives*

SINGULAR			PLURAL		
masc.	*fem.*		*masc.*	*fem.*	
el	**la***	the	**los**	**las**	the
este	**esta**	this	**estos**	**estas**	these
ese	**esa**	that	**esos**	**esas**	those
un	**una**	a(n), one	**unos**	**unas**	some, a few
aquel	**aquella**	that	**aquellos**	**aquellas**	those (yonder)

* Before a noun that is feminine but begins with a stressed **a, el** and **un** are used:

el agua (*fem.*) water
el ancla (*fem.*) anchor

NOTE: when **este, ese** and **aquel,** and so on, are used as pronouns they are written with an accent: **ése** *this* (*one*), **aquéllos** *those* (*ones*). When these pronouns are indefinite the forms **esto, eso** and **aquello** are used, but without a written accent.

2 *Gender and number:* *possessives*

SINGULAR		PLURAL		
masc.	*fem.*	*masc.*	*fem.*	
mi		**mis**		my
su		**sus**		his, her, its, your, their
nuestro	**nuestra**	**nuestros**	**nuestras**	our

3 *Pronouns*

SUBJECTS		OBJECTS	
yo	I	**me**	me
usted	you	**le, la**	you
él	he, it	**lo, le**	him, it
ella	she, it	**la, le**	her, it
ello	it (indefinite)	**lo**	it
nosotros,-as	we	**nos**	us
ustedes	you	**les, las**	you
ellos,-as	they	**los, las, les**	them

4 *Verbs: regular*

	-AR	**-ER**	**-IR**
PRESENT			
yo	olvid**o**	met**o**	recib**o**
él, etc.	olvid**a**	met**e**	recib**e**
nosotros	olvid**amos**	met**emos**	recib**imos**
ellos, etc.	olvid**an**	met**en**	recib**en**
IMPERATIVE			
usted	olvid**e**	met**a**	recib**a**
ustedes	olvid**en**	met**an**	recib**an**

5 *Verbs: Radical changing*

Type 1 **-e-** changes to **-ie-** : empezar

emp**ie**zo	empezamos		
emp**ie**za	emp**ie**zan	¡emp**ie**ce!	¡emp**ie**cen!

Type 2 **-o-** changes to **-ue-** : **volver**

vuelvo	volvemos		
vuelve	**vuelven**	¡**vuelva**!	¡**vuelvan**!

Type 3 **-e-** changes to **-i-** in **-IR** verbs : pedir

pido	pedimos		
pide	piden	¡pida!	¡pidan!

6 *Verbs: irregular*

	PRESENT				IMPERATIVE	
caber	**quepo**	cabe	cabemos	caben	—	—
caer	**caigo**	cae	caemos	caen	—	—
conducir	conduzco	conduce	conducimos	conducen	conduzca	conduzcan
conocer	conozco	conoce	conocemos	conocen	conozca	conozcan
dar	**doy**	da	damos	dan	**dé**	**den**
decir (I)	**digo**	dice	decimos	dicen	**diga**	**digan**
estar	**estoy**	**está**	estamos	están	esté	estén
hacer	**hago**	hace	hacemos	hacen	**haga**	**hagan**
ir	**voy**	**va**	**vamos**	**van**	**vaya**	**vayan**
oir	**oigo**	oye	oímos	oyen	**oiga**	**oigan**
poner	**pongo**	pone	ponemos	ponen	**ponga**	**pongan**

	PRESENT				IMPERATIVE	
saber	**sé**	sabe	sabemos	saben	—	—
salir	**salgo**	sale	salimos	salen	**salga**	**salgan**
ser	**soy**	**es**	**somos**	**son**	**sea**	**sean**
tener (IE)	**tengo**	tiene	tenemos	tienen	**tenga**	**tengan**
traer	**traigo**	trae	traemos	traen	**traiga**	**traigan**
venir (IE)	**vengo**	viene	venimos	vienen	**venga**	**vengan**
ver	**veo**	ve	vemos	ven	**vea**	**vean**

7 *venir bien and parecer bien*

¿Les viene bien mañana? — Does tomorrow suit you?
¿Le parece bien que invitemos a su señora? — Is it all right with you if we invite your wife?

Thus **venir bien a** expresses the idea *to be all right for*, and **parecer bien a** *to be all right with.*

Voy a comprar ese coche — I'm going to buy that car
Me parece (muy) bien — That's (perfectly) all right with me

Venir bien also expresses the idea of *to fit* (of clothes), as in:

Este traje no me viene bien — This suit doesn't fit me

8 *¡ya voy!*

When someone calls, we usually say *I'm coming!* in English, but in Spanish the reply is always **¡ya voy!** Note also the following:

Tengo que ir a la estación — I have to go to the station
Voy con usted — I'm coming with you
Voy al cine. ¿Quiere venir conmigo? — I'm going to the cinema. Do you want to come with me?
Sí, voy con usted — Yes, I'll come with you

9 *caber*

The verb **caber** means *to be room for*, *to fit*. Note the examples:

Una maleta cabe aquí — One suitcase will fit here
¿Cuántas maletas caben en el coche? — How many suitcases will fit in the car? *or* will the car hold?

EJERCICIOS

I Present tense, -**AR** verbs

	Are you . . . ing (it)?		Yes, I'm . . . ing (it) now.
1	¿Usted **acaba**?	(finish)	Sí, **acabo** ahora.
2	**cena**	(have supper)	. . . .
3	**lo compra**	(buy it)	. . . .
4	**lo deja**	(leave it)	. . . .
5	**lo lleva**	(take it)	. . . .
6	**empieza**	(begin)	. . . .
7	**entra**	(go in)	. . . .

II Plural

	Are you . . . ing (them)?	Yes, we're . . . ing (them) now.
1	¿Ustedes **acab**an?	Sí, **acab**amos ahora.
2	**cen**an	. . . .
3	**los compr**an	. . . .
4	**los dej**an	. . . .
5	**los llev**an	. . . .
6	**empiez**an	. . . .
7	**entr**an	. . . .

III Imperative, -**AR** verbs

	Do I . . . (it) now?	Yes, . . . (it) straight away!
1	¿**Acab**o ahora?	Sí, **acabe** en seguida.
2	**Ceno**	. . . .
3	**Entro**	. . . .
4	**Empiezo**	. . . .
5	¿**Lo compr**o ahora?	. . . **cómprelo** . . . .
6	**dejo**	. . . .
7	**llevo**	. . . .
8	**miro**	. . . .

IV Plural

	Do We . . . (it) now?	Yes, . . . (it) straight away!
1	¿**Acab**amos ahora?	Sí, **acab**en en seguida.
2	**Cen**amos	. . . .
3	**Entr**amos	. . . .
4	**Empez**amos	. . . .
5	¿**Lo compr**amos ahora?	. . . **cómprenlo** . . . .
6	**dej**amos	. . . .
7	**llev**amos	. . . .
8	**mir**amos	. . . .

V Present, **-ER** and **-IR** verbs

Are you . . . ing?	No, I'm not . . . ing.
1 ¿Usted **come**?	No, no **como**.
2 **bebe**	....
3 **asiste**	....
4 **vuelve**	....
5 **puede**	....
6 **quiere**	....

VI Imperative, **-ER** and **-IR** verbs

Do I . . . it today?	No, . . . it tomorrow.
1 ¿**Lo hago** hoy?	No, **hágalo** mañana.
2 **traigo**	....
3 **veo**	....
4 **digo**	....
5 **escribo**	....
6 **pongo**	....

VII Can you do it today?

	Yes, today suits me fine.
1 ¿Puede hacerlo **hoy**?	Sí, **hoy** me viene bien.
2 mañana	....
3 pasado mañana	....
4 esta noche	....
5 la semana que viene	....
6 más tarde	....
7 ahora	....
8 a las dos	....

2 De camino

El señor Díez llega a la estación de servicio

Empleado Buenos días, señor Díez. ¿Qué desea usted?
Sr. Díez Voy a Barcelona. Póngame treinta litros de gasolina . . . no, mejor llénelo del todo. Es un viaje muy largo y nunca se sabe. Compruebe también el aceite, ¿quiere?
5 *Empleado* Bien, ahora miro el aceite. Este neumático está bastante vacío. Le pongo un poco de aire. Bueno, le pongo medio litro de aceite y un poco de agua en la batería, que está muy baja.
Sr. Díez He notado que el motor hace un ruido raro. Lo voy a poner en marcha y usted me dirá si algo no va bien.
10 *Empleado* No es nada grave. Además, es natural si se calienta un poco con este calor que hace ahora. Ya puede irse a Barcelona sin miedo. No le pasará nada.
Sr. Díez Muchas gracias. ¿Cuánto le debo?
Empleado Cuatrocientas noventa pesetas.
15 *Sr. Díez* Pues, tenga quinientas. Quédese con el cambio.
Empleado Muchas gracias, señor. ¡Que le vaya bien!

A 300 *kilómetros de Madrid*

Sr. Díez Todavía faltan trescientos kilómetros. Me aburro cuando tengo que hacer un viaje tan largo. Allí veo a alguien que hace autostop. Parecen dos chicas. A ver adónde quieren ir. Con un poco de suerte, ya tengo
20 compañía.
Mary Buenas tardes. ¿Puede usted llevarnos a Barcelona?
Sr. Díez ¡Qué suerte tienen ustedes! Precisamente, yo voy a Barcelona. ¿Viven ustedes allí?
Susan No, estamos en Barcelona para un curso de verano en la Universidad.
25 Somos inglesas y estudiamos español en Londres.
Sr. Díez Sí, ya veo que lo estudian muy bien. Hablan español perfectamente. ¿De dónde vienen ustedes?
Mary Hemos ido a pasar el fin de semana a Zaragoza. Mi amiga Susan tiene parientes allí y nos invitaron a pasar un par de días con ellos.
30 *Sr. Díez* Y ahora van a Barcelona para seguir el curso de verano, ¿no?
Susan Eso es. ¿A qué hora cree usted que llegaremos?
Sr. Díez ¿Por qué? ¿Tienen prisa? Creo que llegaremos a eso de las diez. Faltan aún unos 280 kilómetros. Creo que podremos hacerlo en cuatro horas, más o menos.
35 *Mary* ¿Va usted al centro mismo de Barcelona?
Sr. Díez Sí, voy al Hotel Real. Nunca me he hospedado allí pero creo que está en el centro mismo.
Susan Sí, es muy céntrico. Está cerca de las Ramblas.
Mary Pero, ¡qué casualidad! Nosotras vivimos en una pensión en la calle de al
40 lado.
Sr. Díez Estupendo. Así pueden ustedes indicarme el camino.

Llegan a Barcelona

Sr. Díez Bueno, hemos llegado. Y ahora, ¿quieren indicarme el camino que debo seguir para llegar al Hotel Real?

Mary Sí, señor. Mire, tome la segunda calle a la derecha.

45 *Sr. Díez* Es ésta, ¿verdad?

Mary Sí, ahora siga todo recto hasta el final de esta calle, . . . bien, ahora doble a la izquierda . . . , tome esa calle ahí a la derecha . . . , y ahí está su hotel.

Sr. Díez Conocen ustedes Barcelona mejor que yo. Primero, les llevo a su pensión.

Susan Es usted muy amable.

50 *Sr. Díez* Ha sido un placer su compañía. ¡Me molesta tanto tener que viajar solo! ¡Ah! Yo me llamo José Díez.

Mary Yo me llamo Mary y mi amiga se llama Susan.

Sr. Díez O sea, María y Susana.

Susan Aquí está la pensión. Mil gracias, señor Díez.

55 *Sr. Díez* De nada, chicas. A pasarlo bien y buena suerte.

Mary Muchas gracias.

El señor Díez llega a su hotel

Recepcionista Buenas tardes, señor. ¿Qué desea?

Sr. Díez Ustedes tienen una reserva a nombre del señor Moreno, ¿verdad?

Recepcionista Efectivamente. ¿Es usted el señor Moreno?

60 *Sr. Díez* No, mi nombre es Díez. José Díez. Tengo su reserva del hotel porque él no puede venir al congreso y yo he venido en su lugar.

Recepcionista Ya entiendo. Su habitación es la ciento doce. ¡Mozo! Lleve las maletas del señor a la ciento doce.

Sr. Díez Mis maletas están todavía en el coche.

65 *Recepcionista* El mozo bajará las maletas y aparcará el coche detrás del hotel. Puede usted coger las llaves aquí mismo, en recepción.

Sr. Díez Bueno, voy a cenar algo y después me acuesto en seguida. Estoy cansadísimo. Quiero que me llamen a las ocho.

Recepcionista ¿Quiere que le suban el desayuno a su habitación?

70 *Sr. Díez* Pues sí, desayuno inglés: jamón, huevos, tostadas, ya sabe. Desayuno inglés completo.

Recepcionista ¿Y té?

Sr. Díez ¡Ni hablar! Café, café español.

NUEVAS EXPRESIONES

llénelo del todo	fill it right up
nunca se sabe	one never knows
Lo voy a poner en marcha	I'm going to start it up
¡Que le vaya bien!	All the best!
un viaje tan largo	such a long journey
Allí veo a alguien que hace autostop	I can see someone there who's hitch-hiking
Parecen dos chicas	It looks like two girls

Con un poco de suerte	With a bit of luck
¡Qué suerte tienen ustedes!	How lucky you are!
Faltan aún unos 280 kilómetros	There are still about 280 kilometres to go
¡qué casualidad!	what a coincidence!
la calle de al lado	the next (neighbouring) street
siga todo recto	carry straight on
Ya entiendo	I see (understand)
¿Quiere que le suban el desayuno a su habitación?	Do you want your breakfast taken up to your room?
¡Ni hablar!	Not on your life!

NOTAS

1 *Disjunctive pronouns*

preposition +	*pronouns*
a	**mí**
con	**él**
de	**ella**
para	**usted**
etcetera	**nosotros**
	ellos
	ellas
	ustedes

These forms are therefore used with all prepositions, the only exception being **con** + **mí** which gives **conmigo.**

2 *Perfect*

		-AR	-ER	-IR
yo	**he**			
él, etc.	**ha**	olvid**ado**	met**ido**	recib**ido**
nosotros	**hemos**			
ellos, etc.	**han**			

3 *Perfect; irregular*

A few verbs (both regular and irregular) do not follow the normal pattern. Here are the most important:

abrir	abierto
cubrir	cubierto
decir	dicho
escribir	escrito
hacer	hecho
poner	puesto
resolver	resuelto
romper	roto
ver	visto
volver	vuelto

4 *mismo, -a*

The word **mismo** occurs in these first two lessons in two of its uses. The basic meaning is *same*, as in:

Tengo que hacer el mismo viaje dos veces — I have to do the same journey twice

It is also used to mean *very*, as in:

Lo encontré en este mismo hotel — I found it in this very hotel

The word order **esta noche misma**, *this very night*, and **esta habitación misma,** *this very room*, is also very common.

The second use of **mismo** is the invariable form used with adverbs and some pronouns:

aquí mismo	right here
allí mismo	right there
ahora mismo	right now
hoy mismo	this very day *or* today without fail
eso mismo	that very thing

5 *hacer falta and faltar*

no hace falta	it isn't necessary
no me hace falta	I don't need it
me hacen falta dos más	I need two more

hacer falta expresses the idea of *need*, whereas **faltar** expresses the idea of *being missing*, *lacking:*

Faltan mis cosas de aseo	My toilet things are missing
¿Cuántos litros le faltan?	How many litres are you short of?

With times and distances, **faltar** expresses the idea of *still to go*:

Faltan dos horas	There are still two hours to go
Falta medio kilómetro	There's still half a kilometre to go

Of course, *lack* and *need* can sometimes be the same thing, as in:

¿Cuánto dinero nos falta?	How much money do we need?
¿Cuánto dinero nos hace falta?	How much money are we short of?

6 *ocho días*

Notice that in Spanish **ocho días** (not **siete días**) is used to mean *a week* and **quince días** (not **catorce días**) for *a fortnight*.

7 *All the best!*

¡Que lo pase bien! from **pasarlo bien,** *to have a good time*, and **¡Que le vaya bien**! from **ir bien,** *to go well*, are commonly used where we would say *All the best!* in English.

EJERCICIOS

I Perfect -**AR** verbs

Have you . . . ed (it)? Yes, I've . . . ed (it).

1 ¿Ha cen**ado**? Sí, he cen**ado**.
2 acab**ado** . . . .
3 empez**ado** . . . .
4 ¿**Lo** ha compr**ado**? Sí, **lo** he compr**ado**.
5 dej**ado** . . . .
6 llev**ado** . . . .
7 guis**ado** . . . .

II Plural

Have you . . . ed (it)? Yes, we've . . . ed (it).

1 ¿Han cen**ado**? Sí, hemos cen**ado**.
2 acab**ado** . . . .
3 empez**ado** . . . .
4 entr**ado** . . . .
5 ¿**Lo** han compr**ado**? Sí, **lo** hemos compr**ado.**
6 dej**ado** . . . .
7 llev**ado** . . . .
8 guis**ado** . . . .

III Perfect, -**ER** and -**IR** verbs

Have you . . . (it)? Yes, we've . . . (it).

1 ¿Ustedes han asist**ido**? Sí, hemos asist**ido**.
2 pod**ido** . . . .
3 **vuelto** . . . .
4 **ido** . . . .
5 ¿Ustedes **lo** han **traído**? Sí, **lo** hemos **traído**.
6 recib**ido** . . . .
7 ten**ido** . . . .
8 **hecho** . . . .
9 **visto** . . . .
10 **dicho** . . . .

IV

1 ¿**Quieren eso**? Sí, **quieren eso** mismo.
2 ¿Vienen hoy? . . . .
3 ¿Está aquí? . . . .
4 ¿Vive ahí? . . . .
5 ¿Se va ahora? . . . .
6 ¿Dice eso? . . . .
7 ¿Llegan hoy? . . . .
8 ¿Cenan aquí? . . . .

V I'm going to call him/it. It's not necessary to call him/it straightaway.

1	Voy a **llamarlo.**	No hace falta **llamarlo** en seguida.
2	hacerlo	....
3	comprarlo	....
4	decírselo	....
5	dárselo	....
6	llevarlo	....
7	pagarlo	....
8	bajarlo	....
9	subirlo	....
10	recogerlo	....

VI I need . . . more. Yes, you're . . . short at least.

1	Necesito **dos** más.	Sí, le faltan **dos** por lo menos.
2	ocho	....
3	siete	....
4	quince	....
5	cuatro	....
6	cinco	....
7	nueve	....
8	tres	....

3 Roban el coche del señor Díez

Sr. Díez (*Baja la escalera para pedir las llaves de su coche.*) Buenos días. ¿Puede usted darme las llaves de mi coche?

Mozo Su coche está detrás del hotel, aparcado en el sitio número 23. Aquí tiene las llaves.

5 *Sr. Díez* Gracias. (*Sale del hotel y se dirige al parking.*) El mozo dice que el coche está aparcado en el sitio número 23, pero aquí no hay ningún coche. Tiene que ser un error. No veo ningún coche blanco en todo el parking. ¿Dónde está mi coche, entonces? Mejor será que vuelva al hotel a preguntar. A lo mejor el mozo lo ha dejado en otro sitio y ya no se 10 acuerda. (*Vuelve a entrar en el hotel.*) Oiga, mi coche no está en el sitio número 23. Ni siquiera está en el parking. ¿Dónde lo aparcó usted anoche?

Mozo En el sitio número 23. Estoy segurísimo.

Sr. Díez ¡Caramba! A lo mejor lo han robado. Vamos a mirar otra vez.

15 *Mozo* Voy con usted. Bueno, se ve que su coche no está aquí. ¿Qué habrá pasado? Lo siento, señor, pero me parece que le han robado el coche.

Sr. Díez ¡No me diga! Vamos a ver, ¿dónde hay una comisaría?

Mozo Aquí mismo, al lado del hotel hay una comisaría. Vamos a avisarles del robo en seguida.

Sr. Díez Sí, no perdamos más tiempo. ¿Han tenido casos de robos en el hotel?

Mozo No, pero hay muchos robos de coches estos días, sobre todo de coches nuevos. El suyo era nuevo, ¿no?

Sr. Díez Nuevo flamante. Apenas lo he usado. Lo compré no hace todavía un mes. ¡Y me costó tantísimo! Menos mal que está bien asegurado contra robo.

Mozo Bueno, hemos llegado a la comisaría. Entremos.

Inspector Buenos días, señor. Usted dirá.

Sr. Díez Buenos días. Me llamo José Díez. Anoche llegué al Hotel Real, aquí al lado, y el mozo me aparcó el coche en el parking del hotel. Acabo de ir a recogerlo y me encontré que no estaba donde lo había aparcado el mozo. Alguien lo ha robado.

Mozo Tiene que ser eso. Yo dejé el coche bien cerrado con llave.

Inspector ¿A qué hora llegó usted anoche al hotel?

Sr. Díez A eso de las diez.

Mozo Y yo dejé el coche aparcado a eso de las diez y cuarto.

Inspector ¿Me quiere dar los datos del coche?

Sr. Díez Sí. Es un coche nuevo, marca Seat 1400, color blanco, matrícula de Madrid, número 578039.

Inspector ¿A qué hora se dio usted cuenta del robo?

Sr. Díez Hace sólo cinco minutos cuando bajé a recoger el coche.

Inspector Estos robos son muy frecuentes ahora. Sólo esta semana hemos tenido quince robos de coches. Bueno, haremos lo posible por encontrarlo. ¿Me quiere dar su nombre completo?

Sr. Díez José Díez de la Fuente.

Inspector ¿Domicilio?

Sr. Díez San Bernardo 193, piso tercero, puerta 3A, Madrid.

Inspector ¿Cuándo compró el coche?

Sr. Díez Apenas hace un mes.

Inspector ¿Es suyo o de su compañía?

Sr. Díez Es mi coche particular.

Inspector Bien, una última pregunta, si me permite. ¿El coche tiene algo reconocible en seguida?

Sr. Díez Es posible que tenga algo, pero no recuerdo. ¡Ah, sí! Un gatito de lana que pusieron los niños en la ventanilla de atrás.

Inspector Hmm. Es probable que lo hayan quitado los ladrones.

Sr. Díez Es el colmo. Tengo tantísimas cosas que hacer y ahora estoy sin coche.

Inspector No pueden haberle robado el coche antes de las cinco de la mañana porque el hotel nos da una lista de todos los coches aparcados en el parking cada noche y nosotros los controlamos después de las cinco de la mañana. Hoy no faltaba ninguno. Así que es seguro que ha sido después de esa hora. Pero, no se preocupe. A lo mejor podemos encontrarlo hoy. Como nos ha avisado usted tan pronto, podemos empezar las pesquisas ahora mismo.

Sr. Díez ¿Quiere usted que pregunte más tarde por teléfono?

Inspector No, nosotros le avisaremos al hotel. Voy a dar la matrícula y la descripción del coche a todos los coches de la policía. Siendo un coche blanco, nuevo, de marca y matrícula conocidas, no será muy difícil que lo encontremos.

Además, es muy posible que encontremos a los ladrones también, porque cada ladrón tiene su especialidad y nosotros sabemos más o menos quien puede ser.

70 *Sr. Díez* Muchísimas gracias, inspector. Y hasta pronto, espero.

Inspector Adiós, muy buenas, señor Díez.

NUEVAS EXPRESIONES

Tiene que ser un error	It must be a mistake
Mejor será que vuelva al hotel a preguntar	I'd better go back to the hotel and ask
Estoy segurísimo	I'm positive
A lo mejor lo han robado	It looks as though they've stolen it
se ve que su coche no está aquí	it's clear that your car isn't here
¡No me diga!	Don't tell me!
Nuevo flamante	Brand new
Menos mal que está bien asegurado contra robo	It's a good job it's well insured against theft
Usted dirá	What can I do for you (lit. you will say)
Tiene que ser eso	It must be that
Yo dejé el coche bien cerrado con llave	I locked the car up carefully
¿A qué hora se dio cuenta del robo?	When did you discover the theft?
haremos lo posible por encontrarlo	we'll do our best to find it
Apenas hace un mes	Barely a month ago
¿El coche tiene algo reconocible en seguida?	Is there anything about the car that would make it immediately recognisable?
Es el colmo	That's the last straw
Como nos ha avisado usted tan pronto	As you've informed us so soon
¿Quiere usted que pregunte más tarde por teléfono?	Do you want me to ring up and enquire later on?
sabemos más o menos quien puede ser	we've a good idea who it can be

NOTAS

1 ***Forms of the Present Subjunctive:*** *regular*

	-AR	-ER	-IR
yo	mire	meta	viva
él, ella, Vd.	mire	meta	viva
nosotros	mir**emos**	met**amos**	viv**amos**
ellos, ellas, Vds.	mir**en**	met**an**	viv**an**

Note that if the verb is root-changing in the present indicative, it will also be so in the present subjunctive.

2 *Present subjunctive: irregular forms*

The irregular present subjunctive is formed by adding the endings of the subjunctive to the irregular forms of the first person singular of the present indicative, as in the following verbs:

	INDICATIVE	SUBJUNCTIVE			
caber	**quepo**	**quepa**	**quepa**	**quep**amos	**quep**an
decir	**digo**	**diga**	**diga**	**dig**amos	**dig**an
hacer	**hago**	**haga**	**haga**	**hag**amos	**hag**an
parecer	parezco	parezca	parezca	parezcamos	parezcan
poner	**pongo**	**ponga**	**ponga**	**pong**amos	**pong**an
salir	**salgo**	**salga**	**salga**	**salg**amos	**salg**an
tener	**tengo**	**tenga**	**tenga**	**teng**amos	**teng**an
traer	**traigo**	**traiga**	**traiga**	**traig**amos	**traig**an
venir	**vengo**	**venga**	**venga**	**veng**amos	**veng**an
ver	**veo**	**vea**	**vea**	**ve**amos	**ve**an

Exceptions to this rule are few:

dar	**doy**	dé	dé	demos	den
estar	**estoy**	esté	esté	estemos	estén
haber	**he**	**haya**	**haya**	**hay**amos	**hay**an
ir	**voy**	**vaya**	**vaya**	**vay**amos	**vay**an
saber	**sé**	**sepa**	**sepa**	**sep**amos	**sep**an
ser	**soy**	**sea**	**sea**	**se**amos	**se**an

The present subjunctive of **hay** is **haya** (see **haber**).

3 *Reflexive verbs*

Reflexive verbs use the same pronouns as the object pronouns, except in the third person singular and plural:

aburrir = to bore **aburrirse** = to get bored

yo	**me**	aburro
él, etc.	**se**	aburre
nosotros	**nos**	aburrimos
ellos, etc.	**se**	aburren

4 *Some uses of the subjunctives*

i with **querer**, **preferir**, **decir** and **rogar** + **que**

¿Quiere usted que llame más tarde?	Do you want me to phone later?
Quiero que lo haga usted	I want you to do it
Prefiero que ella escriba	I prefer her to write
Dígale que no venga	Tell him not to come

ii **mejor que**, better to (I'd better, you'd better, etc.)

Mejor será que vuelva al hotel	I'd better go back to the hotel
Mejor será que pasemos por la comisaría	We'd better call in at the police station

The subjunctive is used with other forms of **mejor**, such as: **es mejor que**:

Es mejor que usted venga con nosotros	You'd better come with us
Mejor que le deje un recado	I'd better leave him a message

iii **es (muy) posible que . . .**

Es muy posible Es imposible Es probable Es improbable	que hayan robado el coche
It's very possible It's impossible It's probable It's improbable	that they have stolen the car

Other clauses that can be used with these are:

. . . que sepa algo	. . . that he'll know something
. . . que lleguen mañana	. . . that they'll arrive tomorrow
. . . que lo hagan en seguida	. . . that they'll do it at once
. . . que vuelva al hotel	. . . that he'll come/go back to the hotel

Finally, NOTE that in the examples above the future is used in English where the Spanish has the subjunctive.

5 *bajar and subir*

These two verbs have several uses in Spanish

i *to go/come up/down*

¡Cómo suben los precios!	How prices are going up!
No van a bajar nunca	They'll never come down
Voy a subir a mi habitación	I'm going to go up to my room
Juan va a bajar ahora	Juan is going to come down now
No quiso bajar la escalera	He didn't want to go down the stairs

ii *to take/bring up/down*

¿A qué hora quiere que le suban el desayuno?	What time do you want them to bring up your breakfast?
El mozo va a subir sus maletas a su habitación	The porter is going to take your suitcases up to your room
¿Quiere bajarme las maletas ahora?	Will you take down my suitcases now?

iii *to get in/out of* (vehicles)

¿Puede llevarme a Madrid? – Claro, suba.	Can you take me to Madrid? – Of course, get in.
Subimos todos al coche.	We all got into the car.
Bajaron del coche y entraron en la casa.	They got out of the car and went into the house.

iv *to take/put in/out of* (vehicles)

Bajó las maletas del coche	He took the cases out of the car
Subieron todas las cosas al coche	They put everything into the car

6 *Some expressions of time*

a eso de las diez	at about ten o'clock
a las diez en punto	at exactly ten o'clock
antes de las diez	before ten o'clock
después de las diez	after ten o'clock
hace dos días	two days ago

EJERCICIOS

I -AR verbs

Do I . . . (it)?	Yes, it'll be best for you to . . . (it).
1 ¿**Entro**?	Sí, será mejor que **entre**.
2 **Empiezo**	. . . .
3 **Estudio**	. . . .
4 **Llamo**	. . . .
5 **Pago**	. . . .
6 ¿**Lo compro**?	. . . . **lo compre**.
7 **acabo**	. . . .
8 **dejo**	. . . .
9 **tomo**	. . . .
10 **cierro**	. . . .

II -ER and **-IR** verbs

Do I . . . (it)?	Yes, it'll be best for you to . . . (it).
1 ¿**Salgo**?	Sí, será mejor que **salga**.
2 **Subo**	. . . .
3 **Vengo**	. . . .
4 **Asisto**	. . . .
5 ¿**Lo hago**?	. . . . **lo haga**.
6 **digo**	. . . .
7 **traigo**	. . . .
8 **pido**	. . . .

III Are you going . . . ?	Yes, I'm going . . .
1 ¿Se va **inmediatamente**?	Sí, me voy **inmediatamente**.
2 **en seguida**	. . . .
3 **ahora mismo**	. . . .
4 **a las dos en punto**	. . . .
5 **mañana**	. . . .
6 **antes de las seis**	. . . .
7 **esta noche**	. . . .
8 **esta semana**	. . . .

IV Shall I . . . your . . . ?	Yes, I want you to . . . it to/for me now.
1 ¿Le **subo** el desayuno?	Sí, quiero que me lo **suba** ahora.
2 **traigo**	. . . .
3 **hago**	. . . .
4 **sirvo**	. . . .
5 ¿Le **aparco** el coche?	. . . .
6 **dejo**	. . . .
7 **arreglo**	. . . .
8 **aseguro**	. . . .

V Are you going to . . . ? Yes, my wife wants us to . . .

1	¿Van a **volv**er?	Sí, mi mujer quiere que **volv**amos.
2	**asist**ir	. . . .
3	**sub**ir	. . . .
4	**sal**ir	. . . .
5	ir	. . . .
6	**baj**ar	. . . .
7	**empez**ar	. . . .
8	**entr**ar	. . . .
9	**pag**ar	. . . .
10	**llam**ar	. . . .

VI Who . . . it? It looks as though the porter . . . it.

1	¿Quién lo **tiene**?	A lo mejor lo **tiene** el mozo.
2	aparcó	. . . .
3	bajó	. . . .
4	cerró	. . . .
5	controló	. . . .
6	dijo	. . . .
7	dejó	. . . .
8	encontró	. . . .

4 ¿Dónde está mi coche?

Después de comer, el señor Díez va de nuevo a la comisaría para saber lo que ha pasado con su coche

Sr. Díez Buenas tardes. ¿Sabe usted algo de mi coche?

Inspector Lo siento, señor, pero hasta ahora no sabemos nada. Hemos tenido varios informes de coches robados pero ninguno de ellos parece ser el suyo. Hace una hora encontraron un coche abandonado en Pedralbes. 5 Es muy parecido al suyo pero no tiene la misma matrícula.

Sr. Díez Pero, ¿dónde puede estar mi coche?

Inspector Tenga paciencia, señor Díez. En cuanto sepamos algo le avisaremos. Es cuestión de tiempo. Estoy seguro de que tarde o temprano aparecerá su coche.

10 *Sr. Díez* Bueno, espero que sea verdad lo que dice.

Inspector Si pasa por aquí a las seis, podremos darle más noticias.

Sr. Díez ¿Le parece mejor que avise a la compañía de seguros?

Inspector Sí, señor. Lo antes posible. (*Suena el teléfono.*)

Valentí Aquí Valentí. Creo que hemos encontrado ese coche blanco que robaron 15 esta mañana. Era un Seat 1400, matrícula de Madrid 578039, ¿verdad?

Inspector Sí, un coche blanco y nuevo. Apenas comprado. El señor Díez dice que hay una especie de gato de lana en la ventanilla de atrás.

Valentí Pues sí, es verdad. Hay un gato de lana.

Inspector Entonces, tiene que ser el coche del señor Díez. ¿Han hecho daños al coche?

Valentí Pues, no. No veo nada roto. No queda gasolina. A lo mejor los ladrones abandonaron el coche porque se quedaron sin gasolina.

Inspector ¿Se sabe algo de los que lo robaron?

Valentí No, no sabemos nada. Parece ser uno de esos casos de jóvenes gamberros que roban coches sólo para hacer sus excursiones y luego los abandonan en cualquier sitio.

Inspector Bueno, Valentí. Muchas gracias. Por cierto, ¿dónde está el coche ahora?

Valentí Pues, lo encontramos abandonado en la playa y lo hemos traído a la carretera. Está en el kilómetro 23 de la carretera de Sitges. ¿Qué hago ahora?

Inspector Quédese ahí y espere mi llamada. (*Cuelga el teléfono y se dirige a Díez.*) Bueno, ha tenido usted suerte. Su coche está sano y salvo en la carretera de Sitges. El policía que lo encontró dijo que no había daños. Si le parece, podemos ir a recogerlo ahora mismo.

Sr. Díez Bueno, la verdad es que no me conviene mucho ir ahora. Tengo tantísimas cosas que hacer, sabe usted.

Inspector Como usted quiera. Pero creo que, si tiene tiempo, es mejor que venga con nosotros para identificar el coche, ver si falta algo y luego recogerlo.

Sr. Díez ¿Y no puede usted hacerlo venir hasta aquí?

Inspector Sí, claro. Pero a lo mejor tiene que esperar algún tiempo. Si pasa usted por la comisaría mañana a primera hora podrá recogerlo.

* * *

A la mañana siguiente Díez vuelve a la comisaría y encuentra, por fin, su coche aparcado delante de la puerta

Inspector Bien, ahí tiene su coche. ¿Quiere mirar si falta algo?

Sr. Díez No, no parece que falte nada. Bueno . . . , sí, me han robado el mechero. Pero, ¿qué importa? Me han dejado el coche, que es lo principal.

Inspector Le han puesto un poco de gasolina. Además lo han revisado bien y no parece que haya nada roto.

Sr. Díez Muchísimas gracias, Inspector.

Inspector De nada. ¿Quiere usted pasar por la comisaría mañana por la mañana? Tenemos que hacer un informe de lo ocurrido.

Sr. Díez Muy bien. ¿Puedo irme ahora?

Inspector Claro. Adiós, señor Díez.

Sr. Díez Adiós y otra vez gracias.

NUEVAS EXPRESIONES

¿Sabe usted algo de mi coche?	Do you know anything about my car?
Hemos tenido varios informes de coches robados pero ninguno de ellos parece ser el suyo.	We've had several reports of stolen cars but none of them seems to be yours.

Es cuestión de tiempo	It's a matter of time
tarde o temprano aparecerá su coche	sooner or later your car will turn up
Si pasa por aquí a las seis	If you call in here at six
¿Le parece mejor que avise a la compañía de seguros?	Do you think I'd better notify the insurance company?
Lo antes posible	As soon as possible
¿Han hecho daños al coche?	Have they damaged the car?
Parece ser uno de esos casos de jóvenes gamberros	It seems to be one of those cases of young hooligans
lo abandonan en cualquier sitio	they drop it anywhere
Quédese ahí y espere mi llamada	Stand by and wait for me to call
Su coche está sano y salvo	your car is safe and sound
como usted quiera	as you like
es mejor que venga con nosotros	it'll be better if you come with us
para ver si falta algo	just to see if anything is missing
¿no puede usted hacerlo venir hasta aquí?	can't you have it brought over here?
mañana a primera hora	first thing in the morning
no parece que falte nada	there seems to be nothing missing
no parece que haya nada roto	there seems to be nothing broken
Tenemos que hacer un informe de lo ocurrido	we have to make out a report (of what has happened)

NOTAS

1 ***seguro*, *asegurar***

Note the following uses of **seguro**:

i adjective *sure*

No estoy seguro	I'm not sure
Estamos seguros de que está cerrado	We're sure it's closed

Note **seguro de que**, *sure that* . . .

ii noun *insurance* (policy)

Voy a avisar a la compañía de seguros	I'm going to inform the insurance company
¿Puedo ver el seguro, por favor?	May I see your insurance, please?

iii **asegurar,** verb *to insure*

No he asegurado mi coche todavía	I still haven't insured my car

iv **asegurar,** verb *to assure*

Le aseguro que yo no robé el coche	I assure you I didn't steal the car

v **asegurarse de,** *to make sure*

Me aseguré del número de la habitación	I made sure of the number of the room
Se aseguró de que la puerta estaba cerrada con llave	He made sure the door was locked

Note **asegurarse de que** . . . , to make sure that . . .

2 *pasar*

Note the following uses of the verb **pasar**:

i *to spend* (time)

Voy a pasar tres semanas en Barcelona	I'm going to spend three weeks in Barcelona
Acabo de pasar las vacaciones en Logroño	I've just spend my holidays in Logroño

ii *to happen*

¿Qué pasa?	What's happening?, what's wrong?, what's going on?
No le pasará nada	Nothing will happen to you, nothing will go wrong
¿Qué ha pasado?	What's happened?
¿Qué le pasa?	What's the matter with you/him/her?
No me pasa nada	There's nothing wrong with me

Note **pasar a,** *to happen to*
pasar con, *to become of*

¿Qué le ha pasado a su coche?	What's happened to your car?
¿Qué ha pasado con su coche?	What's become of your car?

(The answer could be: **lo vendí,** *I sold it.*)

iii *to call in, call at*

Pase por aquí a las once	Call in here at eleven
Tengo que pasar por la comisaría	I have to call in at the police station

iv *to pass*

Tenemos que volver; ya hemos pasado la calle	We have to go back – we've already passed the street

v **pasado,-a** (past participle): *last*

Vino aquí la semana pasada	He came here last week
Compré este mechero el mes pasado	I bought this lighter last month
Me robaron el coche el año pasado	My car was stolen last year

vi Note also **pasarlo bien**, *to have a good time*

3 *Further uses of the subjunctive:*

i **en cuanto,** *as soon as*; **cuando,** *when*:

In referring to the future, these conjunctions introduce things that have not yet happened and are therefore hypothetical: **cuando** means *when* (*and if*), **en cuanto**, *as soon as* (*and if*) in these cases.

Le avisaré en cuanto sepamos algo	I'll let you know as soon as we know anything
Quiero hablar con Juan cuando llegue	I want to speak to Juan when he gets there (arrives)

ii **no creo que** . . . *I don't think* . . .

No creo que haya nada roto	I don't think there's anything broken
llleguen hoy	they'll arrive today
lo encontremos	we'll find it/him
lo hagan	they'll do it

Note that **creo que** . . . , *I think* . . . , does not use the subjunctive.

Creo que { hay algo roto / llegan hoy	I think { there's something broken / they'll arrive today

EJERCICIOS

	I He hasn't . . . yet.	It's clear he wasn't able to . . .
1	No ha pag**ado** todavía.	Se ve que no ha podido pag**ar**.
2	aparcado	. . . .
3	bajado	. . . .
4	empezado	. . . .
5	entrado	. . . .
6	llamado	. . . .
7	venido	. . . . ven**ir**.
8	salido	. . . .
9	subido	. . . .
10	ido	. . . .

	II Have they . . . ed the . . . ?	Yes, of course, it's . . . ed.
1	¿Han **asegurado** el coche?	Sí, claro que está **asegurado.**
2	cerrado	. . . .
3	aparcado	. . . .
4	arreglado	. . . .
5	fijado l**a** hora	. . . . .fijad**a**. . . . .
6	pagado la cuenta	. . . .
7	hecho la maleta	. . . .
8	vendido la casa	. . . .

	III Have they . . . ed your . . . ?	No, they haven't . . . ed anything for me / to me . . . .
1	¿Le han **prestado** el coche?	No, no me han **prestado** nada.
2	encontrado	. . . .
3	arreglado	. . . .
4	dejado el recado	. . . .
5	hecho la maleta	. . . .
6	bajado las maletas	. . . .
7	pagado la cuenta	. . . .
8	pedido la llave	. . . .
9	preguntado la dirección	. . . .
10	traído el traje	. . . .

	IV Is it . . . ?	I don't think there's anything . . .
1	¿Está **roto**?	No creo que haya nada **roto.**
2	allí	. . . .
3	aquí	. . . .
4	detrás	. . . .
5	dentro	. . . .
6	en la maleta	. . . .
7	seguro	. . . .
8	fuera	. . . .

V Are they . . . again?	Not until tomorrow. They've just . . .
1 ¿Vuelven a **hacerlo**?	Hasta mañana no. Acaban de **hacerlo.**
2 salir	....
3 verlo	....
4 visitarnos	....
5 ir ahí	....
6 llamar	....
7 pedirlo	....
8 tomarlo	....

VI Is it all right with you if Juan does it?	I think it's better if you do it.
1 ¿Le parece bien que **lo haga** Juan?	Me parece mejor que **lo haga** usted.
2 lo traiga	....
3 lo explique	....
4 lo recoja	....
5 lo lleve	....
6 vaya	....
7 empiece	....
8 guise	....
9 llame	....
10 pague	....

5 Los percances de González

Sr. Díez Muy buenas, González. ¿A qué hora llegó usted de Zaragoza?

González Llegué esta mañana. Quería llegar anoche a Barcelona, pero no pude salir de Zaragoza hasta muy tarde. Es que siempre tengo problemas que me hacen llegar tarde a todas partes. Especialmente cuando tengo que hacer algo importante. ¿Y usted cuándo llegó? 5

Sr. Díez Yo llegué anoche, pero he perdido todo el día de hoy. ¡Ah! Pero usted no sabe lo que me ha pasado, ¿verdad?

González No. Pero, cuéntemelo, hombre.

Sr. Díez Vine en coche desde Madrid. ¡Usted sabe que lata es conducir tantos

10 kilómetros! Menos mal que ayer tuve compañía. Traje a dos estudiantes inglesas que hacían autostop a Barcelona y por lo menos pude charlar con ellas durante los últimos 300 kilómetros. Eran dos chicas muy simpáticas que están en el curso de verano para extranjeros.

González Y lo que me va a contar, ¿se trata de esas dos chicas?

15 *Sr. Díez* No, no. Esas chicas no tienen nada que ver con esto. Llegué al hotel, el mozo me aparcó el coche en el parking y esta mañana, cuando fui a recogerlo, no estaba allí. Me lo habían robado.

González ¡No me diga! ¿Le habían robado el coche? ¿Y qué hizo usted?

Sr. Díez Me fui inmediatamente a la comisaría y di parte del robo a la policía.
20 Les di la descripción completa del coche . . .

González Sí, es un coche blanco, ¿verdad? Lo vi cuando fui a verle a usted la semana pasada.

Sr. Díez ¡Claro! No me acordaba. Le llevé a usted a casa de Navarro. Pero, volvamos al asunto. La policía me dijo que podían encontrarlo pero que
25 era una cuestión de tiempo. Yo estaba furioso. Tenía tantas cosas que hacer esta mañana antes de asistir al congreso y no pude hacerlas sin coche. Menos mal que estaba bien asegurado contra robo. Por fin, la policía localizó el coche. Lo habían dejado abandonado en la playa unos gamberros. O sea que, entre unas cosas y otras, he perdido todo el día.

30 *González* Pero, por lo menos no ha perdido usted el coche, que es lo principal. Pero, ahora escuche lo que me pasó a mí ayer. Me fui a comer con unos amigos a un restaurante del centro de Zaragoza y, a la media hora de estar allí, me llamaron por teléfono urgentemente. Era mi secretaria. Me dijo que había un incendio en la planta cuarta del edificio donde tengo
35 mi oficina, que está en la planta quinta. Los bomberos y la policía habían desalojado el edificio y todo el mundo esperaba en medio de la calle. Imagínese usted el susto que me llevé.

Sr. Díez Me lo puedo imaginar. Y ¿qué pasó luego?

González Salí del restaurante corriendo, llegué a la oficina y me encontré a todo el
40 personal en la calle. La policía no dejaba subir a nadie porque creían que el fuego podía propagarse a las plantas vecinas y tuvimos que esperar casi dos horas hasta que los bomberos dijeron que ya no había peligro. Subimos a la oficina para asegurarnos de que no habíamos perdido nada en el incendio. Los bomberos habían tenido que romper puertas y ventanas
45 y hacer un agujero en el suelo de mi oficina para poder apagar el fuego en el piso de abajo.

Sr. Díez Y ¿no se había quemado su oficina, entonces?

González Pues, afortunadamente pudieron limitar el fuego a una parte del edificio. Con todo esto, llegué tan tarde a la estación que el tren acababa de salir
50 unos minutos antes. Como tenía tiempo de sobra hasta la llegada del siguiente tren me fui a un cine donde ponían una película de espionaje muy emocionante. Volví a la estación y cogí el expreso Costa Brava que salió a la una y media de la mañana. Afortunadamente pude conseguir una litera y dormí como un leño hasta Barcelona.

55 *Sr. Díez* ¿Y todo eso para poder asistir a la primera sesión del congreso? Venga, hombre, anímese. Ha tenido usted mucha suerte.

González Bueno, creo que los dos hemos tenido mucha suerte. Le invito a tomar una copa para celebrarlo. Vamos al bar.

Sr. Díez Sí, me parece una buena idea. Vamos al bar.

NUEVAS EXPRESIONES

Los percances de González	González's misfortune
Es que siempre tengo problemas	The thing is . . . I'm always having problems
He perdido todo el día de hoy	I've wasted my whole day
¡Qué lata es conducir tantísimos kilómetros!	What a bore it is to drive so many kilometres!
¿ se trata de esas dos chicas?	is it about those two girls?
no tienen nada que ver con esto	they have nothing to do with this (lit. nothing to *see* with)
di parte del robo	I reported the theft
O sea que, entre unas cosas y otras	To sum up, what with one thing and another
a la media hora de estar allí	we'd been there half an hour when
en medio de la calle	out in the street
el susto que me llevé	the shock I got
el piso de abajo	the floor below
ponían una película de espionaje muy emocionante	they were showing a very exciting spy film
pude conseguir una litera	I managed to get a "couchette"
Venga, hombre, anímese	Come on, cheer up

NOTAS

1 ***perder***

perder means basically *to lose*, but also *to waste* (time or money):

Perdió su cartera	He lost his wallet
He perdido todo el día	I wasted the whole day
Perdieron muchísimo dinero	They lost/wasted a lot of money

It can also mean *to miss*, i.e. 'to lose' not 'to be sorry about the absence of'. At times this can be used reflexively:

Me perdí la primera sesión	I missed the first session
¡Corra! Va a perder el tren	Hurry! You're going to miss the train

NOTE *to miss* in the sense of 'regret the absence of' is **echar de menos**:

Mis hijos echan de menos a su padre mientras está fuera de Madrid

My children miss their father while he is away from Madrid

¡Le vamos a echar de menos!	We're going to miss you!

2 ***The preterite***

-AR	**-ER**	**-IR**
dejé (I left, etc.)	comí (I ate, etc.)	salí (I went out, etc.)
dej**ó**	com**ió**	sal**ió**
dej**amos**	com**imos**	sal**imos**
dej**aron**	com**ieron**	sal**ieron**

3 ***The irregular preterite***

conducir	**conduje**	**condujo**	**conduj**imos	**conduj**eron
dar	**di**	**dio**	**dimos**	**dieron**
decir	**dije**	**dijo**	**dij**imos	**dij**eron
estar	**estuve**	**estuvo**	**estuv**imos	**estuv**ieron
haber	**hube**	**hubo**	**hub**imos	**hub**ieron
hacer	**hice**	**hizo**	**hic**imos	**hic**ieron
ir	**fui**	**fue**	**fuimos**	**fueron**
poder	**pude**	**pudo**	**pud**imos	**pud**ieron
poner	**puse**	**puso**	**pus**imos	**pus**ieron
querer	**quise**	**quiso**	**quis**imos	**quis**ieron
saber	**supe**	**supo**	**sup**imos	**sup**ieron
ser	**fui**	**fue**	**fuimos**	**fueron**
tener	**tuve**	**tuvo**	**tuv**imos	**tuv**ieron
traer	**traje**	**trajo**	**traj**imos	**traj**eron
venir	**vine**	**vino**	**vin**imos	**vin**ieron

NOTES: *a* **ir** and **ser** share the same preterite
b the preterite of **hay** is **hubo**
c note the spelling changes: hi**c**e, hi**z**o and tra**ji**mos, tra**je**ron

4 ***The Imperfect***

-AR	dej**aba**	dej**aba**	dej**ábamos**	dej**aban**
-ER	com**ía**	com**ía**	com**íamos**	com**ían**
-IR	sal**ía**	sal**ía**	sal**íamos**	sal**ían**

The imperfect is the most regular of all Spanish tenses. Only three verbs are irregular:

ser:	**era**	**era**	**éramos**	**eran**
ir:	**iba**	**iba**	**íbamos**	**iban**
ver:	**veía**	**veía**	**veíamos**	**veían**

5 ***The imperfect is used;***

i to describe an action or state in the past, i.e. things that went on for some time:

la policía no dejaba subir a nadie	the police weren't letting anybody go up
la gente esperaba en la calle	the people were waiting in the street
yo quería salir anoche	I wanted/was intending to leave last night
era muy temprano	it was very early
eran dos chicas jóvenes	they were two young girls

ii to talk about things that used to happen regularly:

trabajaba en esta oficina	he used to work in this office
vivía en Madrid	I used to live in Madrid

iii to express the idea of an incomplete action going on when something else happened or was happening:

leía cuando Vd. entró	I was reading when you came in
llovía cuando salimos	it was raining when we went out
mientras yo estudiaba él se divertía	while I was studying he was enjoying himself

Note that the imperfect form of **hay** is **había**:

había mucha gente	there were a lot of people
no había peligro	there was no danger

6 *The pluperfect*

Note the following new but very simple tense, the pluperfect:

No lo **han** comprado	They *have*n't bought it
No lo **habían** comprado	They *had*n't bought it
No lo **hemos** visto	We *have*n't seen it
No lo **habíamos** visto	We *had*n't seen it

The imperfect of **haber** is used to form the pluperfect:

yo	**había**	**visto**
él, etc.	**había**	
nosotros	**habíamos**	
ellos, etc.	**habían**	

7 *Idioms*

a volver al asunto, to get back to the point.

b salí corriendo, I ran out (lit. I went out running).

Note also: subí la escalera corriendo, I ran up the stairs.

c dejar, to leave; also means *to let* in the sense of *allow* and is then followed by an infinitive:

la policía no dejaba subir a nadie	the police were not letting anybody go up
¡Déjeme hablar!	Let me speak!

d Note the ordinal numbers: primero, segundo, tercero, cuarto, quinto.

e el primer tren **de** la mañana	the first train *in* the morning
a las tres **de** la tarde	at three o'clock *in* the afternoon

f dormir como un leño, to sleep like a log.

EJERCICIOS

I Did you . . . the . . . ? No, I didn't . . . it. They . . . it.

1	¿**Pagó** usted	la cuenta?	No, no la **pagué** yo. La **pagaron** ellos.
2	Cerró	la puerta	. . . .
3	Preparó	la cena	. . . .
4	Reservó	la habitación	. . . .
5	Dejó	la llave	. . . .
6	Perdió	la maleta	. . . . perdí . . . . perdieron . . . .
7	Recibió	la carta	. . . .
8	Vendió	la casa	. . . .
9	Vio	la película	. . . .
10	Escribió	la nota	. . . .

II How much did you . . . ? We didn't . . . anything.

1	¿Cuánto **compraron**?	No **compramos** nada.
2	pagaron	. . . .
3	tardaron	. . . .
4	encontraron	. . . .

5	cogieron	...cogimos..............................
6	perdieron	....
7	vendieron	....
8	escribieron	....

III Did you . . . (it)? — No, I didn't . . . (it).

1	¿**Condujo** usted?	No, no **conduje.**
2	Vino	....
3	Estuvo	....
4	Pudo	....
5	Lo dijo	....
6	Lo trajo	....
7	Lo hizo	....
8	Lo tuvo	....

IV Was it . . . ? — Yes, it was very . . .

1	¿Era **temprano**?	Sí, era muy **temprano.**
2	divertido	....
3	barato	....
4	bueno	....
5	fácil	....
6	difícil	....
7	aburrido	....
8	caro	....

V Does he . . . ? — He did . . ., but he doesn't . . . anymore.

1	¿Quiere **hacerlo**?	Quería **hacerlo,** pero ya no quiere.
2	Puede	....
3	Sabe	....
4	¿Trabaja aquí?	....
5	Vive	....
6	¿Fuma mucho?	....
7	Bebe	....
8	Viaja	....

VI When did he/they . . . it? — He said he/they had . . . ed it yesterday.

1	¿Cuándo lo **pagó**?	Dijo que lo había **pagado** ayer.
2	contó	....
3	arregló	....
4	hizo	....
5	trajo	....
6	abrieron	.... habían abierto ....
7	recibieron	....
8	descubrieron	....
9	perdieron	....
10	encontraron	....

6 ¡Cualquier excusa vale!

González Bien, Díez, ¿qué va a tomar? ¿whiskey? ¿coñac?
Sr. Díez No me gustan las bebidas fuertes antes de comer. Me estropean el apetito. Un jerez seco para mí, por favor.
González Y para mí también. ¡Barman!
5 *Barman* Sí, señor. ¿Qué desean?
González Dos jerez secos.
Barman ¿Qué marca? ¿Quieren probar ésta? Es la mejor que tenemos.
González Sí, ésa misma vale. Y cobre aquí, ¿quiere?
Sr. Díez De ninguna manera. Cobre aquí, barman.
10 *González* Bueno, hombre, no vamos a discutir por tan poca cosa. Yo pago esta ronda y usted pagará la próxima.
Sr. Díez Bien, de acuerdo. Bueno, ¿qué pasó esta tarde en el congreso?
González ¡Bah! Nada importante.
Sr. Díez ¿Se aburrió usted mucho? Yo siento no haber ido por una cosa solamente,
15 me habían dicho que Molina iba a pronunciar un discurso muy importante.
González El discurso de Molina no fue tan aburrido. Lástima que este hombre sea tan pesado y tarde tanto en decir las cosas, pero, por lo demás, dijo cosas interesantes. Quería advertirnos de los efectos de la devaluación de la libra esterlina. Parece que, como se ha devaluado también la peseta, no
20 habrá cambios importantes en las relaciones comerciales anglo-españolas. En todo caso, y por el momento, no tendrá ninguna consecuencia seria para nosotros.
Sr. Díez Pero, todo eso tiene muy poco interés para nosotros, si eso es lo que Molina quería decir.
25 *González* Luego, en atención a los ausentes, se repartieron unas hojas describiendo los efectos principales que la devaluación de la peseta tendrá en el comercio entre España y todos los países comercialmente importantes para nosotros. Pero, perdone usted, le estoy dando otro discurso.
Sr. Díez No, siga usted, González. Quiero estar al día de las sesiones del congreso
30 y me interesa lo que dice usted.
González Gracias, hombre. Será mejor que le dé la hoja que guardé para usted pensando que le iba a interesar.
Sr. Díez Bien, con esto y el resumen que usted ha hecho de la primera sesión, creo que estoy al día de las reuniones del congreso.
35 *González* Alguien me dijo que usted no estaba, pero no sabía por qué. Molina le vio llegar anoche y yo esperaba verle a usted esta tarde. No sabía, naturalmente, lo del robo del coche.
Sr. Díez Claro está. ¿Cómo iba yo a pensar que me iban a robar el coche? Ha sido una mala suerte.
40 *González* Claro, claro. ¡Ah! Por cierto, se dice que Molina quiere organizar una excursión a no sé dónde.
Sr. Díez ¡Uy, Díos mío! ¿Se acuerda usted de la excursión que organizó el año pasado?
González No, no me acuerdo, por la sencilla razón de que yo no fui.
45 *Sr. Díez* ¡Qué suerte tuvo usted! Bueno, yo tampoco quisiera acordarme pero desgraciadamente fui una de sus víctimas. Pero, olvidemos el asunto y tomemos otro jerez.

González Veo que usted cree, como yo, que el jerez hay que beberlo de dos en dos.
Sr. Díez Bueno, éste es para celebrar la vuelta del coche. Podía haber sido más
50 grave . . .
González ¡Cualquier excusa vale! ¡Barman!

NUEVAS EXPRESIONES

Me estropean el apetito	They ruin my appetite
cobre aquí, ¿quiere?	take it out of this, please
De ninguna manera	Not at all
no vamos a discutir por tan poca cosa	We're not going to argue over such a trifle
Yo pago esta ronda	I'll pay for this round
siento no haber ido por una cosa solamente	I'm sorry I didn't go because of just one thing
Lástima que este hombre sea tan pesado	Pity this man is such a bore
y tarde tanto en decir las cosas	and takes such a long time to say anything
por lo demás	otherwise
y por el momento	and for the time being
si eso es lo que Molina quería decir	if that's what Molina meant
en atención a los ausentes	for the benefit of those absent
se repartieron unas hojas	some papers were handed round
creo que ya estoy al día de . . .	I think I'm now up-to-date about . . .
se dice que Molina . . .	they say Molina . . .
por la sencilla razón de que yo no fui	for the simple reason that I didn't go
¡Qué suerte tuvo usted!	How lucky you were!
el jerez hay que beberlo de dos en dos	sherry has to be drunk in twos
Podía haber sido más grave	It could have been worse
¡Cualquier excusa vale!	Any excuse will do!

NOTAS

1 *-ísimo*

The ending **-ísimo** may be added to most adjectives and quite a few adverbs to express the idea of *very*, *most*, *extremely*.

Nos gusta mucho	we like it a lot
Nos gusta muchísimo	we like it very very much
Muchísimas gracias por la invitación	very many thanks for the invitation
¡Y me costó tantísimo!	and it cost me so very much!
Llegué aquí cansadísimo anoche	I arrived here very tired last night
¡Usted sabe qué lata es conducir tantísimos kilómetros!	You know what a bore it is to drive so very many kilometres!
Pronunció dos discursos larguísimos	He gave two very long speeches

Note the spelling changes: largo – lar**gu**ísimo; rico – ri**qu**ísimo.

2 *Of course!*

Observe these three expressions:

No puedo hacerlo	¡Claro! Es imposible.
Juan no quiere venir	Claro que no quiere venir.
Cuesta 80.000 ptas	No puedo comprarlo, claro está.

Of course! as an interjection is simply **¡claro!** If it introduces a statement then we must use **claro que** . . . When *of course* comes at the end of a sentence then it is usual to use **claro está**. Notice also **está claro que**, *it is clear that*:

Está claro que Juan no quiere venir.

3 *hasta*

Hasta has three basic meanings:

i time = until, till

No lo hemos visto hasta ahora	We haven't seen it till now
Esperé hasta las ocho	I waited until eight

ii place = up to, as far as:

A ver si podemos llegar hasta Sitges	Let's see if we can get as far as Sitges.
Nos llevó en coche hasta el hotel	He drove us as far as the hotel

iii even:

Hasta me quejo del viaje Zaragoza–Barcelona	I even complain about the Zaragoza–Barcelona journey
Hasta un niño puede hacerlo	Even a child can do it

4 *Irregular presents*

conducir	condu**zco**	conduce	conducimos	conducen
conocer	cono**zco**	conoce	conocemos	conocen
merecer	mere**zco**	merece	merecemos	merecen

This **-zco** form is constant in verbs whose infinitive ends in **-cer** or **-cir**. The subjunctives end in **-zca**, **-zca**, **-zcamos**, **-zcan**.

oir	**oigo**	oye	oímos	oyen
valer	**valgo**	vale	valemos	valen

The subjunctives of these two verbs are:

oiga	**oiga**	**oig**amos	**oig**an
valga	**valga**	**valg**amos	**valg**an

suponer follows the pattern of **poner**.

5 *pasado and último*

These two words both mean *last*, but in two different senses:

pasado = *last*, as in **la semana pasada,** *last week* (the one before this)
último = *last*, as in **los últimos 300 kilómetros,** *the last* 300 *kilometres* (of the journey)

Último therefore means *last* in the sense of final one(s) of a series, while **pasado** means *last* in the sense of the one(s) immediately preceding the present one, not necessarily the last in the series. Often **pasado** may be translated as *past*:

¿Qué ha hecho usted durante la semana pasada?	What have you done during the last week?

NOTE also **próximo** and **que viene** expressing the idea of *next*, *to come*:

Lo haré **la semana próxima** *or* **la semana que viene** I shall do it *next week*

6 *Tener que . . .*

In the sense of *to have to* this expression must be quite familiar by now. However, in the sense of **tener muchas cosas que hacer,** *to have a lot of things to do*, it may not be so familiar. Here are some examples:

No tengo que hacer nada	I don't have to do anything
No tengo nada que hacer	I have nothing to do
No tengo que darle dinero	I don't have to give him (any) money
No tengo dinero que darle	I have no money to give him

7 *Pronouns*

A few points about pronouns should be made here, mainly for revision. We shall only be concerned with two pronouns occurring together. Note first of all the order and position of pronouns in the following examples:

Statement:

Me lo vendió	He sold *it to me.*
Nos lo trajo	He brought *it for/to us*

Plus infinitive:

Va a vendér**melo**	He's going to sell *it to me.*
Va a traér**noslo**	He's going to bring *it for/to us.*

Positive command:

¡Vénda**melo**!	Sell *it to me!*
¡Tráiga**noslo**!	Bring *it to us!*

Negative command:

¡No **me lo** venda!	Don't sell *it to me!*
¡No **nos lo** traiga!	*Don't bring it to us!*

Whenever **le** and **les** (to/for you/him/her/it/them) occur in the positions occupied by **me** and **nos** in the above sentences, then both become **se**. In these examples **se** will be translated as *him*, but remember that it also means *her*, *it*, *them* and *you*.

Se lo di	I gave *it to him.*
¡**Déselo**!	Give *it to him!*
Voy a dár**selo**	I'm going to give *it to him.*
¡No **se lo** dé!	Don't give *it to him!*

Now some examples translating **se** as *you*:

No se lo presto	I won't lend it to you.
No voy a prestárselo	I'm not going to lend it to you.

8 *Some common forms in Spanish and English*

A great number of words in Spanish and English have not only similar written forms, but also the same meanings in both languages. Perhaps the most numerous group of such words is the one containing the ending **-ción** in Spanish and its English counterpart *-tion*. Here are some:

estación	descripción
recepción	dirección
acción	importación
presentación	exportación
atención	organización

and many others.

EJERCICIOS

I Did it . . . you a lot? — Yes, it . . . us very much.

1	¿Les **costó** mucho?	Sí, nos **costó** muchísimo.
2	gustó	....
3	interesó	....
4	aburrió	....
5	faltó	....
6	importó	....
7	molestó	....
8	preocupó	....

II Is the . . . . . . ? — Yes, it's/he very . . .

1	¿Es rico su amigo?	Sí, es riquísimo.
2	mala la cerveza	. . . . . malísima. . . . .
3	bueno el coche	....
4	cara la entrada	....
5	pesado el señor Molina	....
6	barata la casa	....
7	fácil el trabajo	....
8	difícil la lección	....

III Don't . . . it for Juan! — Of course I won't . . . it for him!

1	¡No se lo **haga** a Juan!	¡Claro que no se lo **hago**!
2	lleve	....
3	traiga	....
4	suba	....
5	abra	....
6	venda	....
7	baje	....
8	compre	....
9	deje	....
10	aparque	....

IV Do you have to . . . anything? — No, I haven't got anything to . . .

1	¿Tiene que **hacer** algo?	No, no tengo nada que **hacer.**
2	cobrar	....
3	decir	....
4	comprar	....
5	recoger	....
6	pagar	....
7	explicar	....
8	llevar	....
9	pedir	....
10	preguntar	....

V Have they . . . it?	Yes, they had already . . . it when I got there.
1 ¿Lo han **hecho**?	Sí, ya lo habían **hecho** cuando llegué.
2 visto	....
3 abierto	....
4 cerrado	....
5 empezado	....
6 perdido	....
7 preparado	....
8 quitado	....
9 robado	....

VI Did you . . . (it)?	No, I'm going to . . . (it) next week.
1 ¿Lo **hizo** ya?	No, voy a **hacer**lo la semana que viene.
2 trajo	....
3 celebró	....
4 empezó	....
5 abrió	....
6 vio	....

Are you going to . . . it?	No, I . . . it last week.
7 ¿Va usted a **hacer**lo?	No, lo **hice** la semana pasada.
8 buscarlo	....
9 escribirlo	....
10 estudiarlo	....
11 firmarlo	....
12 pedirlo	....

7 Hablando de la segunda sesión del congreso

Sr. Díez ¡Mozo! ¿Quiere llamar al señor Molina? Habitación 51.

Mozo En seguida, señor. ¿Quiere hablar con él directamente?

Sr. Díez Pues, ¡claro, hombre!

Mozo El señor Molina no contesta, señor.

5 *Sr. Díez* ¡Qué lata! Quería hablar con él. No importa, aquí está el señor Molina. Buenas tardes, Molina. ¿Qué tal?

Sr. Molina ¡Vaya! No del todo mal. (*Molina es un señor muy formal y muy pesado—para no decir pelmazo.*)

Sr. Díez ¿Le apetece un jerez?

10 *Sr. Molina* No, muchas gracias. Prefiero una limonada. Tenemos muchas cosas importantes que discutir esta tarde. Hoy se han pronunciado tres discursos

importantísimos. Tenemos que considerar detalladamente sus consecuencias para nuestras actividades comerciales. Hay que analizar los varios puntos establecidos para poder aplicar sus conclusiones al comercio
15 internacional.

Sr. Díez (*Alarmadísimo, cree estar asistiendo a otro congreso.*) Pues sí, . . . indudablemente . . . son muy importantes las . . . consecuencias esas.

Sr. Molina Claro. Estoy esperando al señor González y a tres o cuatro colegas más. He hecho una especie de resumen de todos los puntos principales que se
20 han tratado hoy y quiero que todos hagamos una especie de análisis general de los puntos básicos. Como ustedes verán . . .

Sr Díez (*Con cierta alegría, viendo llegar a González.*) ¡Ah! Ahí viene González. ¡Hola, González! Conoce al señor Molina, claro está. Se empeña en que discutamos esta tarde todas las consecuencias y conclusiones de los
25 discursos de la última sesión del congreso. Son muy importantes, sabe usted, sobre todo para el comercio internacional.

González (*Adivinando la intención del señor Molina.*) Sí, sí, claro . . . me gustaría muchísimo asistir a la discusión, pero . . . mire . . . es que, sabe usted, . . . lo siento mucho, pero . . . en fin . . . acabo de recibir un telegrama . . . mi
30 mujer se ha puesto muy enferma. Tengo que ir a verla esta misma tarde. Está en Sitges ahora. Éso es. Mi mujer está muy enferma. Estaré fuera de Barcelona esta tarde. Me voy ahora mismo. Bueno, ¿qué le voy a hacer? Me iba ahora precisamente.

Sr. Díez Lo siento mucho, González. Espero que no sea tan grave lo de su mujer.
35 En fin, esperamos que se mejore pronto.

González (*Aparte a Díez, con gran impaciencia por irse cuanto antes.*) Perdóneme, pero no aguanto esta discusión de las consecuencias esas. Mi mujer está perfectamente, pero yo me voy a Sitges igualmente.

Sr. Díez (*Aparte a González.*) ¡Canalla! Me deja aquí a aguantar a este pelmazo.
40 ¡Me la va a pagar!

González Allá usted. Le invitaré a cenar para recompensarle. Adiós, señor Molina. Ya nos veremos mañana.

Sr. Molina Mis saludos a su señora. Espero que no sea nada. Que se mejore pronto.

González Yo también lo espero. (*Aparte a Díez.*) Seguro que se mejora antes de
45 mañana, ¿eh? Bueno, hasta la vista.

Sr. Molina ¡Qué lástima que González no pueda quedarse a la discusión de esta tarde! ¡Va a ser tan interesante!

Sr. Díez Yo también lo siento muchísimo, desde luego.

Mozo Señor Molina, al teléfono.

50 *Sr. Molina* Gracias. ¡Diga! . . . , sí, . . . ¡vaya hombre, cuánto lo siento! ¡Qué le vamos a hacer! . . . Bueno, hasta mañana, entonces.

Sr. Díez ¿Quién era?

Sr. Molina El señor Ruíz que no puede venir a la reunión. ¡Qué lástima! Su hijo está enfermo y su mujer se empeña en que vaya a verlo. Dice que echa
55 mucho de menos a su padre. Pero vuelve mañana por la mañana.

Sr. Díez Sí, es una verdadera lástima. Esto quiere decir que, por el momento, seremos solamente usted y yo para analizar esas consecuencias de los discursos de hoy.

Sr. Molina No, hombre. No pierda la esperanza. Todavía queda el señor Martínez
60 y el señór Morales, claro está.

Sr. Díez Algo pasará.

NUEVAS EXPRESIONES

¡Vaya! No del todo mal	Well, not too bad
para no decir pelmazo	not to say a pain-in-the-neck
¿Le apetece un jerez?	Would you care for a sherry?
Hoy se han pronunciado tres discursos . . .	Three speeches have been given today . . .
. . . que se han tratado hoy	. . . that have been dealt with today
viendo llegar a González	seeing González coming
Adivinando la intención del señor Molina	guessing Sr. Molina's intention
¿qué le voy a hacer?	what can I do about it?
esperamos que se mejore pronto	we hope she'll get better soon
no aguanto esta discusión . . .	I can't stand this discussion . . .
yo me voy a Sitges igualmente	I'm going to Sitges just the same
¡Me la va a pagar!	You'll pay me for this!
Allá usted	That's your problem
Mis saludos a su señora	My regards to your wife
¡Qué lástima que no pueda quedarse. . . !	What a pity he can't stay. . . !
su mujer se empeña en que vaya a verlo	his wife insists that he go and see him
echa mucho de menos a su padre	he misses his father a lot
es una verdadera lástima	it is a real pity
seremos solamente usted y yo	there'll just be you and me
No pierda la esperanza	Don't lose hope
Todavía queda el señor Martínez	There's still Sr. Martínez

NOTAS

1 ***More on root-changing verbs***

-IR verbs have a peculiarity in the present subjunctive and preterite. The stressed vowel changes twice in these tenses. Look at the three patterns of these root-changing verbs:

		PRES. INDICATIVE	PRESENT SUBJ.	PRETERITE
a	sentir	siento	sienta	sentí
		siente	sienta	sintió
		sentimos	sintamos	sentimos
		sienten	sientan	sintieron
b	pedir	pido	pida	pedí
		pide	pida	pidió
		pedimos	pidamos	pedimos
		piden	pidan	pidieron
c	dormir	duermo	duerma	dormí
		duerme	duerma	durmió
		dormimos	durmamos	dormimos
		duermen	duerman	durmieron

Note how all root-changing **-IR** verbs have **-i-** and **-u-** in the first person plural of the present subjunctive and in the third person singular and plural of the preterite, irrespective of the change they undergo in the present. Other verbs of this type so far used are:

like **sentir:** advertir, divertirse, preferir
like **pedir:** conseguir, elegir, reir, repetir, seguir, servir

2 ***Las consecuencias esas***

The demonstratives **este** and **ese** are often used in colloquial speech after the noun with the article before it. This use can often suggest a certain degree of irritation or disapproval.

¡Las cosas que hace el chico este!	The things that this boy does!
No me gustan las tapas esas.	I don't like those hors d'œuvres.

3 ***Hay que . . .*** *and* ***Hace falta . . .***

These two expressions have a similar meaning. Both imply obligation. Note the following:

Hace falta considerar las consecuencias	The consequences have to be considered
Hay que considerar las consecuencias	The consequences are to be considered

4 ***Some colloquial expressions***

When Díez and González are fumbling for excuses to avoid attending the boring session organized by Molina, they use several expressions that require some explanation:

Pues si, . . . indudablemente	Well yes, . . . no doubt

These two expressions are used to express agreement with what has been said, but not entire agreement. They also function to gain time for the speaker.

Pero . . . mire . . . es que, sabe usted . . .	But . . . you see . . . I mean, you know . . .

mire, *look*, is used very much as we use *you see* in English.

es que . . . if often put in front of a statement, somewhat like *I mean* or *it's just that* . . . in English.

sabe usted is very close to the English *you know*(?)

pero . . . en fin, but . . . well . . . **En fin** means *in short*, but is also used to gain time when speaking, as *well* in English.

5 *Note:* ***Poner****, to put*, ***ponerse****, to become, to grow*

Se ha puesto furioso	he got angry
me pongo impaciente	I'm growing impatient

6 ***Some more subjunctives***

i **esperar** – this verb means both *to hope* and *to wait for* (also *to expect*).

Estoy esperando al señor González	I'm waiting for Sr. González
¡No me lo esperaba!	I wasn't expecting it!

In the sense of *to hope*, **esperar** is often followed by the subjunctive, though the future may also be used:

Espero que su mujer no esté muy mal	I hope that your wife isn't very ill
Espero que se mejore pronto	I hope she'll get better soon
Espero que vengan Espero que vendrán	I hope they'll come

Note that **esperar** is often reflexive in the sense of *to expect*:

No me esperaba encontrarle aquí	I wasn't expecting to find you here.

ii **empeñarse,** *to insist* – note the following:

Se empeña en esto	He insists on this
Se empeña en comprar este coche	He insists on buying this car

BUT

Se empeña en que vaya a verlo	He insists that I go and see him
Me empeño en que usted lo haga	I insist that you do it

Notice that, like **asegurarse de que, empeñarse en que** retains the preposition in front of the following **que** clause.

EJERCICIOS

I I didn't . . . it.	You didn't . . . it? What a nuisance!
1 No lo **pedí.**	¿No lo **pidió**? ¡Qué lata!
2 advertí	. . . .
3 seguí	. . . .
4 sentí	. . . .
5 cogí	. . . .
6 vi	. . . .
7 leí	. . . .
8 oí	. . . .

II Why are you . . . ing it?	What can I do about it? It has to be . . . ed.
1 ¿Por qué lo **paga**?	¿Qué le voy a hacer? Hace falta **pagarlo.**
2 aguanta	. . . .
3 analiza	. . . .
4 estudia	. . . .
5 guarda	. . . .
6 lleva	. . . .
7 organiza	. . . .
8 termina	. . . .

III I hope he . . . s soon.	He'll . . . before tomorrow, for certain.
1 Espero que **se mejore** pronto.	Seguro que **se mejora** antes de mañana.
2 se anime	. . . .
3 se acuerde	. . . .
4 se alegre	. . . .
5 se presente	. . . .
6 se queje	. . . .

IV Is he . . . ?	Yes, he's become very . . .
1 ¿Está **enfermo**?	Sí, se ha puesto muy **enfermo.**
2 aburrido	. . . .
3 enfadado	. . . .
4 furioso	. . . .
5 grave	. . . .
6 impaciente	. . . .

V Why are you going to . . . him/it?	Because Juan insists that I go and . . . him/it.
1 ¿Por qué va usted a **verlo**?	Porque Juan se empeña en que vaya a **verlo.**
2 ayudarlo	. . . .
3 esperarlo	. . . .
4 invitarlo	. . . .
5 buscarlo	. . . .
6 llevarlo	. . . .
7 llamarlo	. . . .
8 terminarlo	. . . .
9 traerlo	. . . .
10 comprarlo	. . . .

VI Are you going to . . . ?	I can't stand that . . . !
1 ¿Va usted al **congreso**?	Yo no aguanto el **congreso** ese.
2 discurso	. . . .
3 hotel	. . . .
4 bar	. . . .
5 a la discusión	. . . . esa
6 sesión	. . . .
7 pensión	. . . .
8 estación	. . . .

8 No hay mal que por bien no venga

Mozo Un telegrama para el señor Molina.

Sr. Díez ¡No me diga lo que hay en ese telegrama! Ya lo sé. La hija del señor Martínez se ha puesto enferma.

Sr. Molina A ver, a ver. No, no es Martínez, sino Morales. Y no es su hija, sino su abuela la que está muy enferma.

Sr. Díez Sí, pero también en Sitges, ¿no?

Sr. Molina Exactamente. También en Sitges. Es curioso, ¿no cree usted?

Sr. Díez (*Con creciente mal humor.*) No, no tiene nada de curioso.

Mozo Señor Molina, un recado para usted.

Sr. Molina A ver que dice. Este es del señor Martínez. (*Abre el recado y lee.*) "Lo siento mucho. Tenía gran interés en asistir a la reunión que se ha organizado para esta tarde, pero desgraciadamente acabo de recibir un telegrama de mi mujer. Mi suegra está muy enferma y quiere que vaya a verla en seguida. Vive en Sitges, así que podré estar de vuelta en Barcelona mañana mismo. Puede usted imaginarse cuánto me duele no poder asistir. Le ruego que me perdone. Hasta mañana. Martínez."

Sr. Díez Esto ya pasa de la raya. ¡Tantas enfermedades repentinas!

Sr. Molina ¿Cómo dice usted?

Sr. Díez Nada, que es mucha casualidad. Bueno, como sólo quedamos usted y yo,
20 no creo que merezca la pena continuar la reunión. ¿Qué le parece si nos vamos también a Sitges? Quizá estemos a tiempo de parar la epidemia.

Sr. Molina Me parece una excelente idea. Pero, ¿por dónde empezamos a visitar a los enfermos?

Sr. Díez Vamos a llamar a la abuela de Morales.

25 *Sr. Molina* Sí, casi será mejor. A ver si podemos ayudar en algo.

Sr. Díez Bien, no perdamos un minuto.

Molina y Díez llegan a Sitges en el coche de éste. Se paran delante del número 7 de la calle Herrería y llaman al timbre.

Sr. Molina ¿Está seguro de que ésta es la dirección?

Sr. Díez Segurísimo. Aunque, no contesta nadie. Pero, ¿qué ruido es éste?

Sr. Molina Parece música. Con tanto ruido nadie puede estar enfermo en esta casa.
30 (*Se abre la puerta y se presenta la abuela de Morales.*)

Abuela ¡Bienvenidos a mi fiesta! ¡Qué bien! También ustedes han venido a celebrar mi santo. Pasen, pasen ustedes. Oye, Juan, trae champaña para estos señores. Han llegado sus amigos, señor Ruíz. Traiga esas tapas, por favor. ¿Ha terminado ese disco? Ponga usted otro, Martínez.

35 *Sr. Molina* Pero, ¿qué es esto? Nos han tomado el pelo. Estoy furioso. No me esperaba una cosa así.

Sr. Díez Pero, ¿de qué se queja usted, hombre? Al fin y al cabo, es una manera muy agradable de tomarnos el pelo. Vamos, anímese.

Sr. Molina ¡Vaya una manera de perder el tiempo! ¡Con la cantidad de puntos que
40 se han tratado hoy. . . ! Y las consecuencias y conclusiones de los discursos . . .

Abuela (*Aparte a Díez.*) Pero, ¿de qué consecuencias habla este hombre?

Sr. Díez No le haga caso, señora. Hemos tenido un día muy atareado y se conoce que el pobre hombre está delirando.

45 *Sr. Molina* Usted perdone, caballero, pero yo no estoy delirando.

Sr. Díez Bueno, tómese esta copa de champaña.

Abuela Y pruebe estas tapas que están deliciosas. Venga, tómese otra copa de champaña.

Sr. Molina Al final, ya verá usted como termino delirando.

50 *Sr. Díez* No importa, hombre. No hay mal que por bien no venga.

NUEVAS EXPRESIONES

Es curioso, ¿no cree usted?	It's peculiar, don't you think?
no tiene nada de curioso	there's nothing funny about it
Tenía gran interés en asistir . . .	I was most eager to attend . . .
cuánto me duele no poder asistir	how much I regret being unable to attend
Le ruego que me perdone	I beg you to forgive me
Esto ya pasa de la raya	This is getting a bit too much
¿Cómo dice usted?	What did you say?
Nada, que es mucha casualidad	Nothing – that it's too much of a coincidence

no creo que merezca la pena continuar la reunión	I don't think it's worthwhile going on with the meeting
Quizá estemos a tiempo de parar la epidemia	Perhaps we're still in time to stop the epidemic
Sí, casi será mejor	Yes, we might as well
han venido a celebrar mi santo	you've come to celebrate my saint's day
Nos han tomado el pelo	They've pulled a fast one on us
al fin y al cabo	when all's said and done
¡Vaya una manera de perder el tiempo!	This is a fine way to waste time!
¡Con la cantidad de cosas. . . . !	With the heaps of things . . . !
No le haga caso	Don't take any notice of him
Hemos tenido un día muy atareado	We've had a very busy day
se conoce que el pobre hombre está delirando	It's obvious the poor chap is raving
No hay mal que por bien no venga	It's an ill wind . . .

NOTAS

1 ***pero and sino***

Pero is the Spanish for *but*, as in:

Dijo que iba a venir, pero no ha venido	He said he was going to come, but he hasn't come

But, when we contradict a previous negative statement **sino** is used instead of **pero**:

No es Martínez, *sino* Morales	It isn't Martínez, but Morales
No es su hija, *sino* su abuela	It isn't his daughter, but his grandmother

2 ***More subjunctives***

i **sentir** and **doler** – Note these uses of **sentir**:

Lo siento muchísimo	I'm awfully sorry
Siento mucho no poder asistir	I'm sorry not to be able to attend
Siento no haber asistido a la sesión	I'm very sorry not to have attended the session

BUT

Siento que usted no pueda asistir	I'm sorry you can't attend
Siento que su mujer esté enferma	I'm sorry your wife is ill

The impersonal verb **doler (ue)** is also used to express being sorry or regretting:

Me duele mucho no poder venir	I regret very much not being able to come
Me duele mucho no haberle ayudado	I regret very much not having helped you

BUT

Me duele que usted no pueda venir	I regret very much your not being able to come
Me duele que su suegra esté tan enferma	I regret very much your mother-in-law being so ill

ii **quizá** or **quizás**, *perhaps*, *maybe*:

Quizá introduces the idea of considerable uncertainty in the mind of the speaker. The subjunctive, therefore, must follow. Here are some examples:

Quizá venga mañana	He may come tomorrow
Quizá tenga usted razón	Perhaps you're right
Quizá estemos a tiempo de parar la epidemia	Perhaps we're still in time to stop the epidemic

3 *Two uses of* ***se:***

i Passive **se**

Se han pronunciado dos discursos	Two speeches have been given
los puntos que se han tratado hoy	the points that have been dealt with today
la reunión que se ha organizado	the meeting that has been organised

Compare:

No se puede hacer	It can't be done
Se dice que se ha organizado un congreso	It's said that a conference has been organized

ii The 'ethical' **se**, **me**, etc.

Se creía que la sesión había terminado	He thought that the session had finished
Nos perdimos toda la tarde	We lost (wasted) the whole afternoon

Both of these sentences could be used without the reflexive pronoun, but it is frequently inserted in Spanish to give a particular emphasis to the sentence:

Los niños comieron todo	The children ate everything
Los niños *se* comieron todo	The children ate up everything
Compré dos trajes	I bought two suits
Me compré dos trajes	I bought myself two suits
Perdí el avión	I missed the plane
¡*Me* perdí el avión!	I went and missed the plane!

Some verbs are always used in this reflexive manner:

Usted se puede imaginar cuanto me duele	You can imagine how much I regret it
Me imagino que estarán en Sitges	I imagine they'll be in Sitges
Se está reponiendo del viaje	He's recovering from the journey

4 ***Some exclamations***

¡Qué manera de hacerlo!	What a way to do it!
¡Qué manera más agradable de reponernos!	What a pleasant way for us to recover!

Notice: **¡qué día**! *what a day!*, but **¡Qué día más pesado**! *what a tiresome day!*

Notice that if an adjective follows the noun, then **más** (or **tan**) is very frequently inserted:

¡Qué discusión tan aburrida!	What a boring discussion!
¡Qué disco más horrible!	What a horrible record!

Note also the use of **¡vaya**! retaining the article:

¡Vaya una manera de hacerlo!	What a way to do it!
¡Vaya un disco más horrible!	What a terrible record!

EJERCICIOS

I Do you want to . . . (it) today? No, I don't want to . . . (it) today, but tomorrow.

1	¿Quiere usted **trabajar** hoy?	No, no quiero **trabajar** hoy, sino mañana.
2	escribir	. . . .
3	venir	. . . .
4	ir	. . . .
5	**llamarlo**	. . . . **llamarlo** . . . .
6	traerlo	. . . .
7	analizarlo	. . . .
8	encargarlo	. . . .

II I'm not . . . ing. I regret very much that you're not . . . ing.

1	No **vengo.**	Me duele mucho que usted no **venga.**
2	salgo	. . . .
3	puedo	. . . .
4	quiero	. . . .
5	asisto	. . . .
6	lo digo	. . . . **lo diga** . . . . . .
7	lo vendo	. . . .
8	lo invito	. . . .
9	lo perdono	. . . .
10	lo dejo	. . . .

III Why doesn't Juan . . . ? I don't know. Perhaps he can't . . .

1	¿Por qué no **viene** Juan?	No sé. Quizá no pueda **venir.**
2	trabaja	. . . .
3	escribe	. . . .
4	asiste	. . . .
5	**lo manda**	. . . . **mandarlo** . . . .
6	lo busca	. . . .
7	lo termina	. . . .
8	**nos llama**	. . . . **llamarnos** . . . .
9	nos invita	. . . .
10	nos avisa	. . . .

IV Who has . . . ed this? I don't know; so many things have been . . . ed today.

1	¿Quién ha **comprado** esto?	No sé; se han **comprado** tantas cosas hoy.
2	organizado	. . . .
3	encontrado	. . . .
4	hecho	. . . .
5	discutido	. . . .
6	pedido	. . . .
7	contado	. . . .
8	dicho	. . . .

V Have you seen him . . . (it)?	Yes, but what a way to . . . (it)!
1 ¿Usted lo ha visto **hacerlo**?	Sí, pero ¡qué manera de **hacerlo**!
2 abrirlo	....
3 cerrarlo	....
4 guisarlo	....
5 pedirlo	....
6 bajar	....
7 entrar	....
8 quejarse	....

VI Did you . . . the . . . ?	Yes, but what a boring . . . !
1 ¿Usted oyó el **discurso**?	Sí, pero ¡qué **discurso** más pesad**o**!
2 la discusión	.... pesad**a**.
3 el disco	....
4 ¿Usted asistió a la sesión?	....
5 al congreso	....
6 ¿Usted estudió la lección?	....
7 el problema	....
8 el resumen	....
9 ¿Usted charló con el mozo?	....
10 la criada	....

9 Se organiza . . . , o sea, el señor Molina organiza una excursión

Hablan los señores Molina, Díez, González y Ruíz

Sr. Molina Bueno, señores, hoy tenemos día libre. Después de los esfuerzos de los días pasados, me parece que nos hemos merecido un descanso. ¿Les apetece hacer una excursión?

Sr. Ruíz Buena idea. Hace un día maravilloso. Me gustaría muchísimo. Podremos llevar a los niños. Creo que les encantará. (5)

Sr. Molina Pues, en verdad, no me parece buena idea que vengan. Verá usted, si vamos a visitar unos monumentos nacionales, es mejor que los niños se queden en casa. Para estudiar con la atención debida los monumentos . . .

Sr. Ruíz Pero, los niños no nos molestarán, estoy seguro.

(10) *Sr. Molina* Yo no estoy tan seguro como usted. Los niños empezarán a gritar, a pelearse, a jugar por todas partes. No, los llevaremos otro día. Eso es, tendremos una excursión especial para ellos.

Sr. Ruíz Pero, no tenemos más días libres. El congreso acaba pasado mañana.

Sr. Molina ¡Qué lástima! Lo siento por los niños. Bien, les voy a explicar los detalles
15 de la excursión que vamos a hacer.
Sr. Ruíz Pero, ¿y los niños?
Sr. Molina Sí, los niños . . . Como dije, les voy a explicar los detalles de la excursión que vamos a hacer.
Sr. Díez ¿Adónde piensa usted llevarnos?
20 *Sr. Molina* No se preocupen. González y yo lo hemos organizado todo, hasta el último detalle, ¿verdad González?
González Sí, es verdad. (*Aparte a Díez.*) Es decir, este pelmazo me ha dicho adónde iremos, qué haremos, a qué hora saldremos, a qué hora llegaremos . . . , en fin, todo.
25 *Sr. Molina* Usted, señor Ruíz, llevará a tres personas en su coche. Saldrá de Sitges a la una de la tarde . . .
Sr. Ruíz Pero, ¿no comemos a las dos?
Sr. Molina Eso es. Usted saldrá de Sitges a la una y nos encontrará a los demás a la una y media en Villafranca. Nosotros saldremos de Barcelona a eso de
30 las doce y media para estar en Villafranca también a la una y media.
González ¿Quiénes son los que salen de Barcelona?
Sr. Molina Pues, los cinco de nuestro grupo que vamos en el coche de Díez. Les esperaremos en Villafranca en la plaza, delante de la iglesia. Tendremos que esperar ahí porque . . .
35 *González* Si tenemos que esperar, lo haremos en el bar, naturalmente.
Sr. Molina Esperaremos en la plaza hasta que llegue Morales en su coche desde Vendrell. En cuanto llegue Morales, saldremos en seguida, es decir los tres coches, para Montserrat. Allí veremos los monumentos de la Edad Media, y he organizado también una visita al museo y a la biblioteca
40 que va a ser muy interesante, sobre todo la colección de documentos medievales.
Sr. Ruíz Pero, yo prefiero ir a otro sitio. A Tarragona, a Lérida . . .
Sr. Molina Paciencia, paciencia. Precisamente, desde Montserrat podremos hacer una excursión por todos los monumentos históricos y artísticos de los alrede-
45 dores. Podremos visitar todos los castillos, monumentos, iglesias y museos entre Barcelona y Lérida.
González ¡Qué empacho de arte y de monumentos! Y todo eso, ¿lo piensa hacer en un solo día? No sé cómo va a arreglárselas.
Sr. Molina Ustedes no se preocupen. Habrá tiempo para todo.
50 *Sr. Díez* Creo que González tiene razón de sobra. No tendremos tiempo de hacer todo eso en un día. Y si hacemos todo ese recorrido llegaremos a las tantas de la madrugada al hotel.
Sr. Molina Ya lo tengo todo resuelto. En realidad, no era muy difícil de resolver. Pasaremos la noche en Lérida y volveremos a Barcelona por la mañana
55 temprano. Ya he telefoneado al hotel para reservar las habitaciones. Me deben ustedes 200 pesetas cada uno.
Sr. Díez Pero, tenemos que estar en Barcelona a las diez para asistir al congreso. No será posible si tenemos que venir desde Lérida.
Sr. Molina Sí será posible. No hay la menor dificultad. Si nos levantamos a las cinco
60 y salimos de Lérida a las seis podremos llegar a Barcelona mucho antes de empezar la sesión.
González (*Aparte a Díez.*) Este hombre está loco, loco de atar.

NUEVAS EXPRESIONES

Se organiza una excursión	A trip is organised
Hace un día maravilloso	It's a beautiful day
con la atención debida	with due attention
Lo siento por los niños	I'm sorry about the children
¿Adónde piensa usted llevarnos?	Where are you thinking of taking us?
No me sorprende nada	I'm not in the least surprised
hasta el último detalle	right down to the last detail
En cuanto llegue Morales	as soon as Morales arrives
de los alrededores	in the surrounding area
¡Qué empacho de arte . . . !	What an excess of art . . . !
No sé cómo va a arreglárselas	I don't know how you're going to manage
González tiene razón de sobra	González is absolutely right
llegaremos a las tantas de la madrugada	we'll arrive in the small hours of the morning
No hay la menor dificultad	That's no problem at all
mucho antes de empezar la sesión	long before the session starts
Este hombre está loco	The man is mad
loco de atar	stark-staring mad

NOTAS

1 ***The Future***

The future is formed by adding the following endings to the infinitive:

esperar**é**	comer**é**	ir**é**
esperar**á**	comer**á**	ir**á**
esperar**emos**	comer**emos**	ir**emos**
esperar**án**	comer**án**	ir**án**

2 ***Irregular Forms***

caber	**cabré,** etc.	No cabrán aquí	There won't be room for them here
decir	**diré,** etc.	No dirá nada	He will not say anything
haber	**habré,** etc.	No lo habrá visto	He won't have seen it
hay	**habrá**	No habrá tiempo	There won't be time
hacer	**haré,** etc.	Lo haremos luego	We'll do it later
poder	**podré,** etc.	No podrá venir	You won't be able to come
poner	**pondré,** etc.	Lo pondremos ahí	We'll put it there
querer	**querré,** etc.	No querrá pagar	He won't want to pay
saber	**sabré,** etc.	Lo sabrán mañana	They'll know tomorrow
salir	**saldré,** etc.	El tren saldrá a las 2	The train will leave at 2
tener	**tendré,** etc.	Tendremos que esperar	We shall have to wait
venir	**vendré,** etc.	Vendrán pasado mañana	They'll come the day after tomorrow
valer	**valdré,** etc.	No valdrá la pena	It won't be worthwhile

3 ***Use of the future***

The future is used much as in English. However, there are two uses of the Spanish future that differ from English:

i The present indicative is used a great deal in place of the real future:

Vienen la semana que viene	They'll come / They're coming } next week

ii The future is also used to indicate supposition or probability:

Juan no está en su casa.	Juan is not at home.
Estará de viaje.	He's probably off on a trip.

4 ***The future perfect***

The future perfect is formed with the simple future of **haber**, which has the irregular future stem **habr-**. It is the equivalent of shall/will have + past participle.

yo	**habré**	visto
él, ella; usted	**habrá**	
nosotros,-as	**habremos**	
ellos,-as; ustedes	**habrán**	

No lo habrá visto	He won't have seen it
Creo que Juan lo habrá hecho	I think Juan will have done it
Su amigo no está aquí. Habrá salido.	Your friend isn't here. He must have gone out.

5 ***todos and los demás***

Note the following structures:

Nos encontrará a los demás allí	You'll meet the rest of us there
Nos pagaron a todos	They paid us all
Nos pagaron todos	They all paid us

Compare:

Les pagamos a todos	We paid them all
Les pagamos todos	We all paid them

EJERCICIOS

I When do you want to . . . ? I'll . . . it tomorrow.

1	¿Cuándo quiere **pagarlo**?	Lo **pagaré** mañana.
2	leerlo	....
3	verlo	....
4	recogerlo	....
5	empezarlo	....
6	estudiarlo	....
7	controlarlo	....
8	pedirlo	....
9	probarlo	....
10	oirlo	....

II Will Juan . . . ?	Yes, they're all . . . ing.
1 ¿**Vendrá** Juan?	Sí, **vendrán** todos.
2 Estará	. . . .
3 Cabrá	. . . .
4 Irá	. . . .
5 Lo hará	. . . .
6 verá	. . . .
7 tendrá	. . . .
8 visitará	. . . .
9 buscará	. . . .
10 invitará	. . . .

III Is Carlos . . . ing (it)?	No, he won't be . . . ing (it), he's away.
1 ¿Carlos está **trabajando**?	No, no estará **trabajando,** está fuera.
2 estudiando	. . . .
3 **haciéndolo**	. . . . **haciéndolo** . . . .
4 terminándolo	. . . .
5 arreglándolo	. . . .
6 organizándolo	. . . .
7 escribiéndolo	. . . .
8 **esperándonos**	. . . . **esperándonos** . . . .
9 buscándonos	. . . .
10 ayudándonos	. . . .

IV Has he . . . ed it?	No, he won't have . . . ed it yet.
1 ¿Lo ha **terminado**?	No, no lo habrá **terminado** todavía.
2 visto	. . . .
3 hecho	. . . .
4 resuelto	. . . .
5 recibido	. . . .
6 arreglado	. . . .
7 vendido	. . . .
8 cobrado	. . . .
9 escrito	. . . .
10 controlado	. . . .

V When are they . . . ing?	They'll be . . . ing shortly.
1 ¿Cuándo **llegan**?	**Llegarán** dentro de poco.
2 salen	. . . .
3 vuelven	. . . .
4 llaman	. . . .
5 cenan	. . . .
6 **se levantan**	**Se levantarán** . . . .
7 se marchan	. . . .
8 se acuestan	. . . .
9 se bañan	. . . .
10 se despiertan	. . . .

VI Aren't you going to . . . it now? No, I'll . . . it when you come back.

1	¿No va a **hacerlo** ahora?	No, **lo haré** cuando usted vuelva.
2	mandarlo	....
3	comprarlo	....
4	decirlo	....
5	arreglarlo	....
6	resolverlo	....
7	cobrarlo	....
8	escribirlo	....
9	organizarlo	....

10 Se desorganiza la excursión

Sr. Molina Bueno, ¿quieren ustedes venir o no quieren venir? No vaya a pasar lo del año pasado.

González ¿Qué pasó el año pasado?

Sr. Molina Lo sabe usted de sobra. Yo organicé la excursión, me tomé el trabajo de
5 reservar habitaciones en hoteles, puse de acuerdo a todos los colegas y, de pronto, la excursión se desorganizó.

Sra. Ruíz Un momento. Hoy es el cumpleaños de mi marido. No creo que le apetezca hacer una excursión tan larga. Además, hemos invitado al señor Díez a pasar el día con nosotros en Sitges. Su mujer ha venido especial-
10 mente de Madrid y . . . bueno, que no está bien dejar ir a su marido a esa excursión. Además, hemos invitado al señor Morales y ya ha dicho que viene a pasar el día con nosotros.

Sr. Molina (*Muy enfadado*,) No habrá usted aceptado la invitación, ¿verdad Díez? Sería el colmo.

15 *Sr. Díez* Pues, claro que he aceptado.

Sr. Molina Pero, yo contaba con usted para esta excursión. Y usted lo sabía. Le gustó muchísimo la excursión que organicé el año pasado, ¿no?

Sr. Díez Pues sí, . . . no estuvo mal la excursión, . . . pero había tan poca gente . . .

Sr. Molina Bueno, ¿viene usted a nuestra excursión o no?

20 *Sr. Díez* Pues, es que . . . la verdad . . . no puedo, ¿sabe usted? Mi mujer va a venir de Madrid y yo he prometido ir a pasar el cumpleaños del señor Ruíz en Sitges. Mi mujer se va a enfadar mucho si no voy.

Sr. Molina (*Aun más enfadado*.) Pero, si usted no viene, ¿qué voy a hacer yo? No tengo coche.

25 *Sr. Díez* ¿No puede alquilar uno?

Sr. Molina Sí puedo, pero es que no sé conducir.

Sr. Díez Ah, no lo sabía.

Sr. Molina Pero Vallejo viene, espero. El tiene que venir. Además, sabe conducir. ¡Ah, claro! Usted puede prestarle su coche.

30 *Sr. Díez* ¿Cómo voy a prestarle mi coche si tengo que ir a ver a mis amigos a Sitges?

Sr. Molina ¿Y no puede ir en taxi?

Sr. Díez Sí que puedo, pero prefiero ir en mi coche.

Sr. Molina (*Enfadadísimo.*) Así es como agradecen ustedes mis esfuerzos por organizarles una excursión. Francamente, no me lo esperaba. Ahora lo veo todo claro. Pasa lo que pasó con la reunión que organicé para ayer. Nadie quiso venir y todos se fueron a Sitges con esas historias de mujeres, abuelas y suegras enfermas . . . , y no sé qué más. No quiero que pase lo mismo esta vez con mi excursión. Ya lo tenía todo tan bien organizado. En fin, ¡no puede ser! Esto es una faena incalificable.

Sr. Ruíz Pero, hombre, no se enfade usted. ¿Por qué no se viene con nosotros a celebrar mi cumpleaños? Estoy seguro de que le encantará.

Sr. Molina Le agradezco muchísimo su invitación, pero ya estoy comprometido a organizar esta excursión y la organizaré por encima de todo.

González Pero, Molina, ¿no se divirtió usted en la fiesta del otro día?

Sr. Díez Claro que se divirtió. Bebió tanto champaña que al final estaba cantando flamenco y bailando con todas las chicas jóvenes. Todas decían que era usted muy simpático y muy divertido, incluso la abuela de Morales lo dijo.

Sr. Molina ¿De veras? Hmm. Espero no haber cometido ninguna indiscreción.

Sr. Díez ¡Qué va, hombre! Y cuando se quitó la chaqueta para bailar el twist con una flor en cada mano . . . En fin, que estuvo usted soberbio.

Sr. Molina ¡Bah! ¡Qué gente más informal! (*Se aleja, enfadado hasta más no poder*).

NUEVAS EXPRESIONES

Se desorganiza la excursión	The trip is called off
No vaya a pasar lo del año pasado	We don't want the same thing as last year (to happen again)
puse de acuerdo a todos los colegas	I got all the colleagues to agree
de pronto, la excursión se desorganizó	suddenly the trip was called off
que no está bien dejar ir a su marido	it's not right to let her husband go
Sería el colmo	It would be the end
yo contaba con usted	I was counting on you
no estuvo mal la excursión	the trip wasn't bad
Sí puedo, pero es que no sé conducir	I *could*, but the fact is that I can't drive
Sí que puedo, pero	I *could*, but
Francamente, no me lo esperaba	Quite honestly I didn't expect this
Ahora lo veo todo claro	Now I see everything clearly
¡no puede ser!	it's not fair!
Esto es una faena incalificable	This is an unspeakably dirty trick
ya estoy comprometido a organizar esta excursión	I've already taken on the job of organizing this excursion
la organizaré por encima de todo	nothing will make me drop it
¿De veras?	Did I really?
que estuvo usted soberbio	you were fantastic
¡Qué gente más informal!	what unreliable people!
enfadado hasta más no poder	beside himself with fury

NOTAS

1 ***The future and the subjunctive***

Study the following examples carefully:

Esperaremos en la plaza hasta que llegue Morales	We'll wait in the square till Morales gets there
En cuanto llegue Morales, saldremos en seguida	As soon as Morales arrives, we'll leave at once
Podremos llegar mucho antes de que empiece la sesión	We can get there long before the session begins

Compare:

Saldrán cuando termine la sesión	They'll come out when the session ends

Note that in all these expressions involving the future, the subjunctive is used after **cuando, hasta que, antes de que** and **en cuanto,** whereas English would use the present indicative.

2 ***lo . . . todo***

lo . . . todo translates the English everything:

Lo hemos organizado todo	We have arranged everything
Ya lo tengo todo resuelto	I've already got everything sorted out

3 ***The position of the adverb***

Hoy tenemos día libre	We have a free day (a day off) *today*
Ya lo tengo todo resuelto	I've *already* got it all sorted out
Ya he telefoneado al hotel	I've *already* rung the hotel
Ya lo hemos invitado	We've *already* invited him
Ya estoy comprometido	I'm *already* committed

Note the frequency with which adverbs of time come at the beginning of the sentence in Spanish, though they may also occur at the end. Observe that they never occur in the position that *already* occupies in English.

4 ***Agreement of the past participle***

The past participle is invariable, when used with **haber** to form compound tenses:

Hemos salido muy temprano	We have left very early
Han aceptado la invitación	They have accepted the invitation
He visto a su marido	I've seen your husband

But it agrees with the object after a few verbs, such as **dejar, estar, llevar, tener** and **traer.**

Tengo escrita la carta	I've got the letter written
llevaba el sombrero puesto	he had his hat on
llevaba las gafas puestas	he had his glasses on
Dejó los documentos firmados	He left the documents signed
Lo tengo todo resuelto	I've got everything sorted out

5 ***Note on reflexive verbs***

Note the following types of reflexive verb:

i Those that are truly reflexive because they describe an action done to oneself. These verbs without the reflexive pronoun describe the same action done to somebody/something else.

lavar	to wash	lavarse	to wash (oneself)
acostar	to put to bed	acostarse	to go to bed
enfadar	to make angry	enfadarse	to get angry
parar	to (make) stop	pararse	to (come to a) stop

ii Those which are reflexive in Spanish but not in English:

imaginarse	to imagine	quedarse	to remain
empeñarse	to insist		

iii Some verbs change their meaning if used reflexively:

dormir	to sleep	dormirse	to go to sleep
hacer	to do	hacerse	to become
poner	to put	ponerse	to become
ir / marchar	to go	irse / marcharse	to go away
volver	to return	volverse	to turn round, or to turn into

iv Verbs which have a meaning only when used reflexively:

quejarse	to complain	atreverse	to dare

EJERCICIOS

I Will you . . . ? — Yes, we'll . . . as soon as Morales arrives.

1 ¿**Lo harán** ustedes? — Sí, **lo haremos** en cuanto llegue Morales.
2 verán — . . . .
3 empezarán — . . . .
4 explicarán — . . . .
5 resolverán — . . . .
6 abrirán — . . . .
7 leerán — . . . .
8 llamarán — . . . .
9 pedirán — . . . .
10 acabarán — . . . .

II Has he . . . ed? — No, I'll tell you when he . . . s.

1 ¿Ha **terminado**? — No, le avisaré cuando **termine.**
2 entrado — . . . .
3 llegado — . . . .
4 pagado — . . . .
5 salido — . . . . **salga.**
6 venido — . . . .
7 ¿**Lo** ha **traído**? — . . . . **lo traiga.**
8 visto — . . . .
9 escrito — . . . .
10 dicho — . . . .

III Have you . . . ed the . . . ? — Yes, I've already got it . . . ed.

1	¿Ha **resuelto** usted	el problema?	Sí, ya lo tengo **resuelto.**
2	organizado	la excursión	. . . . . la. . . . . **organizada.**
3	terminado	el trabajo	. . . .
4	visto	la película	. . . .
5	leído	el periódico	. . . .
6	escrito	la carta	. . . .
7	comprobado	el aceite	. . . .
8	hecho	la maleta	. . . .

IV Would you like to . . . ? — No, I don't feel like . . . ing.

1	¿Le gustaría **hacer una excursión**?	No, no me apetece **hacer una excursión.**
2	llevar a los niños	. . . .
3	visitar el castillo	. . . .
4	conducir	. . . .
5	entrar	. . . .
6	salir	. . . .
7	bailar	. . . .
8	probarlo	. . . .
9	leerlo	. . . .
10	aceptarlo	. . . .

V Do I . . . the . . . to/for Juan? — Yes, . . . it to/for him, please.

1	¿Le doy el cuadro a Juan?	Sí, déselo, por favor.
2	la carta	. . . désela . . . .
3	digo el secreto	. . . .
4	la verdad	. . . .
5	traigo el equipaje	. . . .
6	la maleta	. . . .
7	compro el coche	. . . .
8	la casa	. . . .
9	llevo el recado	. . . .
10	la carta	. . . .

VI Was . . . very . . . ? — Everybody said he/she was very . . .

1	Estaba muy pesado Molina?	Todos decían que estaba pesadísimo.
2	enferma la abuela	. . . . enfermísima.
3	enfadado Díez	. . . .
4	contenta la suegra	. . . .
5	divertido Morales	. . . .
6	aburrida María	. . . .
7	simpático Ruíz	. . . .
8	antipático Carlos	. . . .

11 ¿Qué ha sido del señor Ruíz?

Las señoras de Ruíz y de Díez están esperando a los invitados para celebrar el cumpleaños del señor Ruíz, pero éste no llega . . .

Sra. Ruíz ¿Cuánto tiempo falta para que lleguen todos?

Sra. Díez Es demasiado temprano todavía. Dijimos a las siete y no son más que las seis y media. Tenemos tiempo de sobra.

Sra. Ruíz Menos mal. Tengo tantísimas cosas que hacer. ¿Quiere usted ayudarme a poner la mesa?

Sra. Díez ¡No faltaba más! Dígame donde está todo lo que quiere y yo se lo traeré. ¿Por dónde empezamos? ¿Dónde están los cubiertos?

Sra. Ruíz Los tenedores y los cuchillos están en este cajón. Las cucharas están en este otro.

Sra. Díez Bien, ya está todo aquí. ¿Dónde están las cucharillas?

Sra. Ruíz Tenga usted. Voy a sacar el mantel grande y las servilletas. ¿Qué más? ¡Ah, sí! Las fuentes, los platos y los platitos azules. ¿Quiere ayudarme a lavar los vasos y las copas? He comprado un vino estupendo, el preferido de mi marido.

Sra. Díez Su marido tiene buen ojo para esas cosas.

Sra. Ruíz Sí, él siempre compra las bebidas, pero esta vez he querido darle una sorpresa, y como conozco bien sus gustos . . .

Sra. Díez Ya llegan los señores de Morales con la abuela.

Sra. Ruíz Voy a abrirles la puerta. Buenas tardes. ¿Qué tal?

Sr. Morales Muy bien, gracias. ¿Qué tal están ustedes? Bueno, aquí estamos. ¿Dónde está el señor Ruíz? Le hemos traído un regalo, pero queremos dárselo personalmente.

Sra. Ruíz Mi marido no ha llegado todavía. Lo esperamos para las siete menos cuarto. Dentro de cinco minutos estará con nosotros. Ha tenido que ir a Barcelona para un asunto urgente. Buenas tardes, señora Morales. Pasen, pasen ustedes al salón. Ahora les traeré unos aperitivos. Sírvanse ustedes mismos y no hagan cumplidos. Tengo todavía tantas cosas por hacer.

Sr. Morales No se preocupe usted. Veo que están muy ocupadas y no queremos estorbar. ¿Puedo empezar a llevar las cosas al salón?

Sra. Ruíz Si es usted tan amable. Bueno, señora Díez, mientras ellos toman su aperitivo, nosotras vamos a terminar de arreglar todo esto. Pero, ¿dónde estará mi marido? Dijo que volvería a las siete menos cuarto y aún no está aquí. ¿Qué le habrá pasado? Los demás van a llegar de un momento a otro y mi marido no estará en casa.

Sra. Díez Yo, en su lugar, no me preocuparía. Su marido es siempre muy puntual. Nunca ha llegado tarde a ningún sitio. Algo lo habrá retenido en Barcelona. No me extrañaría nada que ese pelmazo de Molina . . .

Sra. Ruíz Pero, no puede ser. Molina se fue de excursión esta tarde. Seguro que mi marido no se ha ido con él. ¡Sería el colmo!

Sra. Díez No, no creo. Sería incapaz de una cosa así. Y aun así, habría telefoneado. Por si fuera poco, es su cumpleaños y ustedes han invitado a muchísima gente. Su marido no haría una cosa así, estoy segura de ello.

Sra. Ruíz Yo empiezo a preocuparme. Por otra parte, mi marido es un poco despistado. Por cierto, González tampoco ha llegado todavía.

45	*Sra. Díez*	¡Ah! Se me olvidaba. González llamó a las seis para decir que llegaría tarde, entre las siete y media y las ocho menos cuarto. ¡Hmm! ¿Molina no había dicho que vendría aquí en vez de ir a la excursión?
	Sra. Ruíz	No sé. Esta mañana estaba tan enfadado que se fue sin decir nada. No quiso hablar con nadie. No dijo si vendría o no, pero nunca se sabe.
50		A veces Molina es muy caprichoso. Si yo fuera usted, no me preocuparía.

NUEVAS EXPRESIONES

¿Qué ha sido del señor Ruíz?	What has become of Sr. Ruíz?
Tenemos tiempo de sobra	We have time to spare
¡No faltaba más!	Of course I will!
Su marido tiene buen ojo para esas cosas	Your husband has a good eye for that sort of thing
. . . y como conozco bien sus gustos . . .	. . . and as I know his tastes well . . .
No hagan cumplidos	Don't stand on ceremony
No queremos estorbar	We don't want to be in the way
de un momento a otro	any moment now
Yo, en su lugar, no me preocuparía	If I were you, I wouldn't worry
Nunca ha llegado tarde a ningún sitio	He's never arrived late anywhere
Algo lo habrá retenido en Barcelona	Something must have delayed him in Barcelona
No me extrañaría nada que ese pelmazo de Molina . . .	It wouldn't surprise me at all if that old bore Molina . . .
Sería incapaz de una cosa así	He'd be incapable of such a thing
Y aun así . . .	And even so (even if he had) . . .
Por si fuera poco . . .	And as if that weren't enough . . .
Mi marido es un poco despistado	My husband is a bit absent-minded
Se me olvidaba	I was forgetting
en vez de ir	instead of going
A veces Molina es muy caprichoso	At times Molina is very peculiar
Si yo fuera Vd., no me preocuparía	If I were you, I wouldn't worry

NOTAS

1 *The conditional*

The conditional is formed by adding to the root of the future, both regular and irregular, the following endings: **-ía, -ía, íamos, -ían.** Note that these are the endings of the imperfect of **-er** and **-ir** verbs also. If the future is irregular, then the conditional will also be irregular:

REGULAR VERBS			IRREGULAR VERBS		
pagar	**comer**	**ir**	**venir**	**hacer**	**haber**
pagar**ía**	comer**ía**	ir**ía**	vendr**ía**	har**ía**	habr**ía**
pagar**ía**	comer**ía**	ir**ía**	vendr**ía**	har**ía**	habr**ía**
pagar**íamos**	comer**íamos**	ir**íamos**	vendr**íamos**	har**íamos**	habr**íamos**
pagar**ían**	comer**ían**	ir**ían**	vendr**ían**	har**ían**	habr**ían**

2 ***Uses of the conditional***

In general, the Spanish conditional is used in a very similar way to the English conditional.

Dijo que *volvería* a las siete	He said he *would come back* at 7
No me *extrañaría* nada	It *wouldn't surprise* me at all
Dijo que no *iría*	He said he *wouldn't go*
Si yo fuera Vd., no me *preocuparía*	If I were you, I *would*n't *worry*
No dijo si *vendría* o no	He didn't say if he *would come* or not
Y aun así, *habría telefoneado*	And even so, he *would have telephoned*

3 ***faltar and sobrar***

Compare:

Nos falta tiempo	We are short of time
Nos sobra tiempo Tenemos tiempo de sobra	We have time to spare

Note also: ¿Cuánto tiempo falta para que lleguen todos?
How long will it be before they all arrive?

How long will it be before . . . ? *plus* the future.

¿Cuánto tiempo falta para que . . . ? *plus* the present subjunctive.

¡**No faltaba más**! This expression is used when someone asks for help, and we wish to reply *Of course I will*, i.e. 'It only needed that', i.e. that you should ask.

4 ***tampoco:*** *neither*

Tampoco is a negative word like **nunca**, i.e. if it comes before the verb then **no** is not required:

El tampoco ha llegado todavía — He hasn't arrived yet either
or El no ha llegado todavía tampoco

NOTE: **Yo tampoco** *Neither do I*, etc. Normally in Spanish the adverb goes after the pronoun or noun, unlike English.

Yo sólo — Only me — Yo no — Not me/I

5 ***que hacer and por hacer***

Compare:

Tengo que hacer tantísimas cosas	I have to do so many things
Tengo tantísimas cosas que hacer	I have so many things to do
Tengo todavía tantas cosas por hacer	I still have so many things to get done
Compare the expression: Está por hacer	It hasn't been done yet It remains to be done

6 ***Some idiomatic expressions***

a **Menos mal.** Used very frequently to express the idea *It's a good job! Thank Goodness!*

b poner la mesa — to set the table

c ¿**Por dónde empezamos**? *Where do we start*? The **por** is retained from the expression **empezar por** *to begin by* . . . : (cf. **terminar por,** *to end by*).

Empezó por poner la mesa — She began by setting the table

d **las fuentes.** The basic meaning of fuente is *fountain, spring, source*, but it is also used to mean a *serving dish.*

e **preferido** is used to mean *favourite*:

mi vino preferido — my favourite wine

f estoy segura de ello   I'm sure of it

Ello is used for *it* when it does not refer to a thing (in which case we use él or ella depending on the gender) but to a whole idea or, in grammar, a clause. In the text **ello** refers to:

Su marido no haría una cosa así   Your husband wouldn't do such a thing

NOTE: Por ello   for that reason

EJERCICIOS

I Shall we . . . ?   Yes, we could . . . them.

1 ¿Llevamos a los niños?   Sí, podríamos llevarlos.
2 Llamamos a los Pérez   . . . .
3 Cobramos los cheques   . . . .
4 Invitamos a los Díez   . . . .
5 Visitamos los monumentos   . . . .
6 Paramos los coches   . . . .
7 Terminamos los ejercicios   . . . .
8 Compramos los discos   . . . .
9 Arreglamos los asientos   . . . .
10 Preguntamos los precios   . . . .

II Will he . . . (it)?   He said he would . . . (it).

1 ¿Vendrá?   Dijo que vendría.
2 Volverá   . . . .
3 Saldrá   . . . .
4 Pagará   . . . .
5 Lo hará   . . . .
6 Lo traerá   . . . .
7 Lo dirá   . . . .
8 Lo resolverá   . . . .
9 Lo habrá comprado   . . . .
10 Lo habrá terminado   . . . .

III I'll . . . it.   If I were you, I wouldn't . . . it.

1 Lo haré   Si yo fuera Vd., no lo haría.
2 diré   . . . .
3 traeré   . . . .
4 sacaré   . . . .
5 compraré   . . . .
6 discutiré   . . . .
7 leeré   . . . .
8 venderé   . . . .
9 esperaré   . . . .
10 prometeré   . . . .

	IV Are you short of . . . ?	No, we have . . . to spare (or plenty of . . .)
1	¿Les falta tiempo?	No, tenemos tiempo de sobra.
2	dinero	....
3	vino	....
4	gasolina	....
5	aceite	....
6	¿Les faltan tenedores?	No, tenemos tenedores de sobra.
7	cuchillos	....
8	cucharas	....
9	platos	....
10	vasos	....

	V I won't . . .	Thank Goodness! I wouldn't . . . either.
1	No iré	Menos mal. Yo no iría tampoco.
2	saldré	....
3	podré	....
4	pagaré	....
5	asistiré	....
6	lo haré	....
7	leeré	....
8	esperaré	....
9	discutiré	....
10	estorbaré	....

	VI When are they going to . . . it?	I don't know; it's still to be . . . ed.
1	¿Cuándo lo van a hacer?	No sé, está por hacer todavía.
2	pagar	....
3	terminar	....
4	empezar	....
5	arreglar	....
6	organizar	....
7	discutir	....
8	resolver	....
9	explicar	....
10	establecer	....

12 Por fin aparece el señor Ruíz

Sra. Díez Pero, ¿qué ha sido del señor Ruíz? Ya son las siete y casi todo el mundo ha llegado. Empiezo a preocuparme. En todo caso, me parece que no podemos celebrar su cumpleaños sin él.

Sr. Morales Sin duda tendrá algo que hacer.

Sra. Díez En ese caso, habría llamado por teléfono. Nos habría advertido de que llegaría más tarde. ¿Qué habrá pasado?

Sra. Ruíz Bueno, todo está ya listo para empezar. ¿Mi marido sigue sin llegar?

Sr. Morales Es un misterio. Pero, ¿dónde estará ese hombre?

Sra. Ruíz Yo no sé más que tuvo que ir a Barcelona para un negocio importante, no sé más detalles. Pero ha tenido tiempo de sobra para arreglar su asunto importante y estar de vuelta en casa. Se fue a las tres y media.

Sra. Díez No tendría ninguna gracia celebrar su cumpleaños en su ausencia.

Sr. Morales Estoy impaciente. Voy a llamar a Barcelona. Quizá haya dejado recado en el hotel.

Sra. Ruíz ¡Claro! No se me había ocurrido. Pero déjelo, señor Morales. Llamaré yo. A ver si saben algo en el hotel. (*Marca el número del Hotel Real.*)

Conserje Hotel Real, dígame.

Sra. Ruíz ¡Oiga! Soy la señora de Ruíz. Mi marido debería estar ya aquí y no ha llegado todavía. ¿Ha dejado por casualidad algún recado para mí en el hotel?

Conserje Pues no, señora. Su marido estuvo en el hotel toda la tarde y salió de aquí a las seis menos cuarto. Dijo que se iba a su casa directamente.

Sra. Ruíz ¡Qué raro es todo esto! Entonces, ¿por qué no ha llegado todavía? Ha tenido tiempo más que suficiente de llegar. Bueno, muchas gracias. Adiós. ¿Una hora y media para llegar aquí desde Barcelona? Me parece imposible. Algo le habrá pasado. Puede haber tenido una avería por el camino.

Sr. Morales No se preocupe, señora. Ya llegará.

Sra. Ruíz ¡Ya ha llegado! ¡Por fin! Hola, Pepe, ¿qué te ha pasado? Todos estábamos muy intranquilos.

Sr. Ruíz ¡Ese coche maldito! Se rompió en medio de la carretera y tuve que esperar al mécanico. Desgraciadamente, no había ni un teléfono a la vista y tuve que esperar un buen rato. Al final, pude parar un coche y un señor muy amable se ofreció a ir a avisar al garaje más próximo. Menos mal que todo se arregló pronto y pude continuar hasta aquí sin más percances. He venido a todo correr porque sabía que todos ustedes estarían esperándome intranquilos. ¡Ese coche! Tendré que comprar otro nuevo.

Sra. Ruíz Siempre dice lo mismo. Cada vez que le pasa algo en el coche quiere comprar otro nuevo. El otro día se le pinchó una rueda y vino a casa furioso diciendo que quería comprar otro coche. Lo que debería comprar son cubiertas nuevas.

Sr. Ruíz Bueno, ya pasó todo. Tengo un hambre de lobo. ¿Hay algo de comer?

Sra. Ruíz ¡Pues, claro, hombre! Te olvidas que hoy es tu cumpleaños, el catorce de junio.

Sra. Díez ¿Viene el señor Molina?

Sr. Ruíz Pues, que yo sepa, no. Se habrá ido de excursión.

Sr. Morales No habrá ido él solo, ¿verdad?

Sr. Ruíz	Pues no. Vallejo habrá ido con él. Es el único que lo aguanta. Y a lo mejor, habrán ido dos o tres más. En fin, allá ellos. Que se diviertan.
50	(*Suena el timbre.*)
Sra. Ruíz	Aquí están los González. Ahora sí que empieza la fiesta.

NUEVAS EXPRESIONES

Casi todo el mundo	Nearly everybody
¿Mi marido sigue sin llegar?	My husband still hasn't arrived?
No tendría ninguna gracia . . .	It wouldn't be much fun at all . . . *or* It wouldn't be very nice at all . . .
Quizá haya dejado recado en el hotel	Perhaps he's left word at the hotel
No se me había ocurrido	It hadn't occurred to me
¿Ha dejado por casualidad algún recado para mí . . . ?	Has he by any chance left any message for me . . . ?
¡Qué raro es todo esto!	How odd all this is!
Ha tenido tiempo más que suficiente de llegar	He's had more than enough time to get here.
No había ni un teléfono a la vista	There wasn't a single telephone in sight
Se ofreció a ir a avisar al garaje	He offered to go and let the garage know
Pude continuar hasta aquí sin más percances	I was able to carry on here without any more mishaps
A todo correr	Full tilt
Se le pinchó una rueda	He had a wheel (i.e. tyre) punctured
Lo que debería comprar son cubiertas nuevas	What he should buy is some new tyres
Tengo un hambre de lobo	I'm as hungry as a horse
que yo sepa	as far as I know
Es el único que lo aguanta	He's the only one who puts up with him
En fin, allá ellos	Well, that's their look-out! (*or* their worry)
Que se diviertan	May they enjoy themselves
Ahora sí que empieza la fiesta	Now the party really is beginning

NOTAS

1 ***seguir***

The verb **seguir,** *to follow*, is used very commonly in the sense of carry on, though frequently we can best translate it by the word *still.*

	Siguen trabajando	They're still working
Hence	Sigue sin llegar	He still hasn't arrived
	Sigue sin creerlo	He still doesn't believe it

Compare the sense of *carry on* in the following example:

¿Quiere que se lo diga todo? Sí, hombre, ¡siga!
Do you want me to tell you all of it? Yes, man, carry on!

2 ***La fecha:*** *the date* ***los meses:*** *the months*

enero, febrero, marzo, abril, mayo, junio, julio, agosto, se(p)tiembre, octubre, noviembre, diciembre

Note that Spanish, unlike English, uses the cardinal numbers for expressing the date:

el **dos** de mayo:	the second of May
el **seis** de junio:	the sixth of June
el **veintidós** de enero:	the twenty-second of January

The only exception is for the first of the month, when Spanish too uses the ordinal:

el **primero** de marzo:	the first of March

3 ***debería***

The conditional form of **deber** is used in Spanish to express the idea of mild obligation. **Debería** is then the equivalent of the English *should* and *ought to*:

Debería comprarme otro coche	I should buy another car
No deberíamos hacer eso	We shouldn't do that
Debería telefonear al hotel	I ought to telephone the hotel
Mi marido debería estar aquí ya	My husband should be here by now

4 ***ni***

i The Spanish equivalent of *neither . . . nor . . .* is *ni . . . ni . . .*, usually with a plural verb:

Ni usted ni yo vinimos	Neither you nor I came

ii Sometimes **ni** translates the English *not even*, *not a single*:

No había ni un teléfono	There wasn't even a telephone, *or* There wasn't a single telephone
No tengo ni una peseta	I haven't even got a peseta, *or* I don't have a single peseta

iii Remember also **ni siquiera**, *not even*, as in:

¿No quiere usted ni siquiera una cerveza?	Won't you even have a beer?

5 ***ofrecerse***

Note the difference in the following two examples:

Se ofreció a ir al garaje	He offered to go to the garage
Me ofreció mucho dinero	He offered me a lot of money

When we offer something we use **ofrecer**, when we offer *to do* something then the reflexive form **ofrecerse** is used.

6 ***Idioms***

a todo el mundo: *everybody*

Esto gustará a todo el mundo	Everybody will like this
Todo el mundo no puede venir	Everybody can't come

b En todo caso: in any case (cf. en ese caso, *in that case*)

c Al final: in the end, finally

d a todo correr: full tilt, at top speed

e allá ellos: that's their worry, problem, and so on
allá usted: that's your worry, problem, and so on

f Déjelo, lo haré yo: leave it, I'll do it, *or* I'll do it myself
For emphasis **yo** can be placed after the verb.

EJERCICIOS

	I Hasn't he . . . yet (it)?	No, he still hasn't . . . (it).
1	¿No ha **llegado** todavía?	No, sigue sin **llegar.**
2	escrito	....
3	llamado	....
4	avisado	....
5	hablado	....
6	lo ha terminado	....
7	hecho	....
8	empezado	....
9	enviado	....
10	dicho	....

	II Díez says that Ruíz has . . . it.	No, everyone knows that I have . . . it myself.
1	Díez dice que Ruíz lo ha **hecho.**	No, todo el mundo sabe que lo he **hecho** yo.
2	terminado	....
3	visto	....
4	organizado	....
5	decidido	....
6	enviado	....
7	firmado	....
8	dicho	....

	III He hasn't . . . anything, as far as I know.	I don't know. Perhaps he's . . . something
1	No ha **dejado** nada, que yo sepa.	No sé. Quizá haya **dejado** algo.
2	visto	....
3	organizado	....
4	dicho	....
5	escrito	....
6	firmado	....
7	comprado	....
8	decidido	....
9	pagado	....
10	recibido	....

	IV I'm looking for a . . .	There isn't a single . . . here.
1	Estoy buscando **un teléfono.**	Aquí no hay ni **un teléfono.**
2	una caja	....
3	un sombrero	....
4	una maleta	....
5	un abrigo	....
6	una carta	....
7	un sobre	....
8	una botella	....

V I haven't had time to . . . (it). Well, you ought to . . . (it) as soon as possible.

1	No he tenido tiempo de **comer.**	Pues debería **comer** lo antes posible.
2	ir	....
3	llamar	....
4	firmar	....
5	preguntar	....
6	hacerlo	.... hacerlo ....
7	enviarlo	....
8	comprarlo	....
9	reservarlo	....
10	organizarlo	....

VI I can't . . . it. In that case, María will offer to . . . it.

1	No puedo **hacerlo.**	En ese caso, María se ofrecerá a **hacerlo.**
2	mandarlo	....
3	leerlo	....
4	decirlo	....
5	verlo	....
6	analizarlo	....
7	arreglarlo	....
8	buscarlo	....
9	encontrarlo	....
10	recogerlo	....

13 Proyectos de vacaciones (1)

Sr. Díez María, los Ruíz estarán aquí de un momento a otro. Aún no estás vestida. ¿Quieres darte prisa?

Sra. Díez Paciencia, hombre, paciencia. ¿No querrás que salga a la calle sin arreglarme?

5 *Sr. Díez* No olvides que somos nosotros los que les hemos invitado a cenar en ese nuevo restaurante. Sería muy feo que tuvieran que esperar.

Sra. Díez Pero, ¡cómo se queja este hombre! Si quieres que esté guapa, tienes que darme tiempo. Bueno, ya estoy lista, ¿lo ves? Y ellos aún no han llegado. (*Suena el teléfono.*)

10 *Sr. Díez* Sí, diga.

Telefonista Señor Díez, los señores de Ruíz están esperándoles en el hall. ¿Quiere usted que le llame un taxi?

Sr. Díez Sí, hágame el favor. Gracias. Y dígales que bajaremos dentro de unos segundos.

15 María, los Ruíz ya están aquí. He dicho que llamen un taxi. Vamos en seguida.

Sra. Díez Cuando tú quieras. Vamos.

En el restaurante

Sr. Ruíz Ha sido una cena estupenda. Este restaurante realmente merece la pena. ¿No les parece?

Sra. Ruíz Mi marido tiene razón. Cuando llegué aquí, les confieso que apenas tenía hambre pero la comida estaba tan buena que se me fue abriendo el apetito poco a poco y he comido con muchísimo gusto.

Sr. Díez Me alegro. La verdad es que hemos cenado estupendamente. Hacía bastante tiempo que no comía un pescado tan rico.

Sra. Díez Hace mucho calor aquí. Vamos a tomar el café en la terraza. Hay una vista hermosísima sobre el mar.

Sra. Ruíz Me parece una excelente idea. Tendremos más fresco en la terraza. (*Pasan a la terraza.*)

Sr. Díez ¿Le apetece un coñac o algún licor, Ruíz?

Sr. Ruíz Pues sí . . ., y estoy seguro de que a mi mujer le encantaría un anís dulce.

Sra. Ruíz Gracias, pero ahora no me apetece. Tampoco quiero tomar café porque me quitaría el sueño.

Sra. Díez Esta tarde mi marido y yo hemos estado hablando de las vacaciones. Todavía no sabemos dónde vamos a pasarlas.

Sra. Ruíz Si yo fuera usted, iría a Escocia. Es un país precioso y nosotros pasamos dos semanas maravillosas allí el año pasado.

Sra. Díez Pues sí . . ., la idea me atrae mucho. Si tuviera dinero, me gustaría pasar las vacaciones en Escocia, pero el viaje es muy costoso . . .

Sr. Díez . . . y muy largo. Con cuatro niños no se puede ir muy lejos.

Sra. Ruíz En ese caso, ¿por qué no pasan sus vacaciones en los Pirineos? Si yo tuviera tiempo, iría a pasar un par de semanas allí.

Sr. Díez Gonzáles nos dijo que reserváramos un chalet en Asturias para este año. El conoce Asturias muy bien y nos recomendaría un sitio agradable y no demasiado caro.

Sra. Ruíz ¡Ah! Eso le gustaría a usted, señor Díez. En Asturias se puede pescar y se puede cazar. Hay unos salmones fantásticos en los ríos y la caza es muy abundante.

Sra. Díez Nada de caza. Los niños prefieren la orilla del mar para jugar en la playa.

Sr. Díez Creo que hemos tenido esta discusión otra vez, si no recuerdo mal. Los castillos de arena, etc.

Sra. Díez Bueno, ya sabemos lo que pasa contigo si hay caza alrededor, que no te vemos el pelo en todo el verano. Y cuando vuelves a casa con las manos vacías, tienes un humor que no lo aguanta nadie.

Sr. Díez No le hagan caso. Hace dos años cacé un . . .

Sra. Díez No vas a contarnos la historia del oso otra vez, ¿verdad? Nada, nada, este año tenemos que ir al extranjero.

NUEVAS EXPRESIONES

¿No querrás que salga a la calle sin arreglarme?	You won't want me to go out into the street without tidying myself up.
Somos nosotros los que les hemos invitado	We are the ones who have invited them.

Sería muy feo que tuvieran que esperar	It wouldn't be very nice if they had to wait
Si quieres que esté guapa . . .	If you want me to look pretty . . .
Se me fue abriendo el apetito	I started getting a good appetite
Hacía bastante tiempo que no comía	It's been a longish time since I've eaten
Tendremos más fresco en la terraza	We'll be cooler on the terrace
Tampoco quiero tomar café porque me quitaría el sueño	I don't want to have coffee either because it would stop me sleeping
La idea me atrae mucho	The idea appeals to me a lot
Nada de caza	Hunting is out!
. . . si no recuerdo mal	. . . if I remember rightly
No te vemos el pelo en todo el verano	We don't see (hide or) hair of you all summer
. . . vuelves a casa con las manos vacías	. . . you return home empty-handed
. . . tienes un humor que no lo aguanta nadie	. . . you're in (such) a mood that nobody can stand it

NOTAS

1 ***The Imperfect Subjunctive***

The imperfect subjunctive has occurred already in a few set expressions. Its form is derived from the preterite, i.e. the stem of the third person plural preterite, regular or irregular, is used to make the imperfect subjunctive, adding the endings in the following models:

	cazar to hunt	**volver**	**abrír**	irreg. **tener**
	(caz**aron**)	(volv**ieron**)	(abr**ieron**)	(tuv**ieron**)
IMP. SUBJ.	caz**ara**	volv**iera**	abr**iera**	tuv**iera**
	caz**ara**	volv**iera**	abr**iera**	tuv**iera**
	caz**áramos**	volv**iéramos**	abr**iéramos**	tuv**iéramos**
	caz**aran**	volv**ieran**	abr**ieran**	tuv**ieran**

Those verbs that have irregular preterites whose stem ends in **-j-** omit the **-i-** in the ending, thus **decir** : dij**eron** : dij**era**; **traer** : traj**eron** : traj**era**.

NOTE: **Ser** and **ir** (fueron) fuera, etc.

2 ***Uses of the Imperfect Subjunctive (i)***

The imperfect subjunctive is used in past tense sentences just as the present subjunctive is used in present tense sentences:

Nos dice que reservemos un chalet	He tells us to book a chalet
Nos dijo que reserváramos un chalet	He told us to book a chalet
Es muy feo que tengan que esperar	It isn't very nice that they have to wait
Sería muy feo que tuvieran que esperar	It wouldn't be very nice if they had to wait
Tengo que esperar que venga el mecánico	I have to wait for the mechanic to come
Tuve que esperar que viniera el mecánico	I had to wait for the mechanic to come
Saldré antes de que me vean los demás	I'll go out before the others see me
Salí antes de que me vieran los demás	I went out before the others saw me

3 ***Uses of the Imperfect Subjunctive (ii) If*** . . . clauses

Observe the following:

Si tengo tiempo, iré allí	If I have time, I'll go there
Si tuviera tiempo, iría allí	If I had time, I'd go there
Si tengo dinero, me gusta ir a Escocia	If I have money, I like to go to Scotland
Si tuviera dinero, me gustaría ir a Escocia	If I had money, I'd like to go to Scotland
Si es posible, lo compraré mañana	If it's possible, I'll buy it tomorrow
Si fuera posible, lo compraría mañana	If it were possible, I'd buy it tomorrow

Hence the English structure: If + past tense + conditional is in Spanish
Si + imperfect subjunctive + conditional

There are further examples in lesson 14. Note these also:

Si yo fuera Vd., no lo haría	If I were you, I wouldn't do it
Si la invitáramos, no querría venir	If we were to invite her, she wouldn't want to come

4 ***Quisiera***

Note that **quisiera**, I would like to, is in fact the imperfect subjunctive of **querer** used instead of **querría**, the conditional.

Quisiera / Querría } reservar un chalet.	I'd like to book a chalet.

5 ***estar buena****, etc.*

Note the following examples:

Si quieres que esté guapa . . .	If you want me to be/look pretty . . .
La comida estaba tan buena . . .	The food was so good . . .
El pescado estaba tan rico . . .	The fish was/tasted so good . . .

In these three examples **estar** is used because we are talking about the particular moment, not a general thing. Thus we'd say to a woman who was particularly well-groomed one evening:

¡Qué guapa está Vd.!	How pretty you are/look!

Similarly, in order to say that a particular dish is very good on this occasion, i.e. a superbly cooked version of a dish that is always good, we can say:

¡Qué rica está esta comida!	How good this food is/tastes!

6 ***Idioms***

a **feo**, *ugly*, but we use **ser feo** to mean *not to be nice* in reference to social propriety:

Es muy feo llegar tarde. — It isn't very nice to be late.

b un país precioso: In Spanish **precioso** means *delightful*, *charming*, and much less commonly *precious*, cf. **piedras preciosas** *precious stones*.

c caza, means both *hunting* (**ir de caza** *to go hunting*) and *game*, *what one hunts*:

ya sabemos lo que pasa contigo si hay caza alrededor
We already know what happens with you if there's game/hunting about

cf. caza mayor, big game.

d **con las manos vacías:** *empty-handed.* This is a common structure in Spanish:

Escribe con la mano izquierda.	He writes left-handed.
un chico con pelo largo.	A long-haired boy.

e quitar el sueño: to prevent from sleeping, i.e. take away sleepiness (cf. **tener sueño** *to be sleepy*)

EJERCICIOS

I You . . . ed it, didn't you?	No, John told me not to . . . it.
1 Usted lo **abrió,** ¿verdad?	No, Juan me dijo que no lo **abriera.**
2 hizo	. . . .
3 pidió	. . . .
4 ofreció	. . . .
5 reservó	. . . .
6 sacó	. . . .
7 leyó	. . . .
8 llevó	. . . .
9 bajó	. . . .
10 vendió	. . . .

II Did they . . . it?	No, and it wouldn't be right if they . . . ed it.
1 ¿Lo **vieron**?	No, y no estaría bien que lo **vieran.**
2 hicieron	. . . .
3 trajeron	. . . .
4 dijeron	. . . .
5 supieron	. . . .
6 contaron	. . . .
7 llamaron	. . . .
8 arreglaron	. . . .
9 firmaron	. . . .
10 reservaron	. . . .

III Did he . . . (it)?	Yes, but I had to wait for him to . . . (it).
1 ¿**Llamó**?	Sí, pero tuve que esperar para que **llamara.**
2 Vino	. . . .
3 Volvió	. . . .
4 Entró	. . . .
5 **Lo abrió**	. . . . **lo abriera.**
6 hizo	. . . .
7 trajo	. . . .
8 terminó	. . . .
9 arregló	. . . .
10 firmó	. . . .

IV It's . . .	Man, if it weren't . . . , I'd do it.
1 Es **imposible.**	Hombre, si no fuera **imposible,** lo haría yo.
2 costoso	. . . .
3 difícil	. . . .
4 aburrido	. . . .
5 inútil	. . . .
6 complicado	. . . .
7 una lata	. . . .

V Do you want to . . . ? | I would . . . , if I had time.

1	¿Quiere usted **entrar**?	**Entraría,** si tuviera tiempo.
2	volver	. . . .
3	asistir	. . . .
4	verlo	. . . .
5	hacerlo	. . . .
6	mirarlo	. . . .
7	ir de compras	. . . .
8	ir de vacaciones	. . . .
9	ir a pescar	. . . .

VI How long is it since you . . . ? | If I remember rightly, I . . . last year.

1	¿Cuánto tiempo hace que no **lo ve**?	Si no recuerdo mal, **lo vi** el año pasado.
2	lo lee	. . . .
3	viene por aquí	. . . .
4	habla con él	. . . .
5	para en este hotel	. . . .
6	cena en este restaurante	. . . .
7	va de vacaciones	. . . .
8	va de caza	. . . .

14 Proyectos de vacaciones (2)

Sr. Ruíz Ya sé adonde podrían ir ustedes, a Cerdeña.
Sr. Díez ¿Y qué tiene Cerdeña de particular?
Sr. Ruíz Bueno, es una isla muy bonita, está en territorio italiano y pueden entenderse con la gente más o menos, hay un poco de todo, playa,
5 montaña, pesca y caza.
Sra. Díez ¿Ha dicho usted caza? No, José, definitivamente Cerdeña queda descartada. Yo no quiero oir hablar de caza. Vamos a otro sitio.
Sr. Díez Pero, mujer, a mí me parece una idea genial . . .
Sra. Ruíz O también podrían ustedes ir a Mallorca . . .
10 *Sr. Díez* No, Mallorca no. Si no hubiera tantísimos turistas, no me importaría. Hay demasiada gente en Mallorca.
Sra. Díez José, ¿por qué no vamos a Ibiza? Nunca hemos estado allí y está bastante cerca.
Sr. Díez Cerca de Mallorca, claro está. No, Ibiza está también atestada de turistas
15 y no quiero pasarme las vacaciones con la impresión de estar viajando en el Metro de Madrid.
Sra. Díez ¡Qué exagerado es este hombre! Pues, ¿adónde quieres ir?
Sr. Díez Pues, no sé. La verdad es que si los niños fueran mayores no me desagradaría llevarlos al extranjero, pero por ahora me parece mejor idea
20 quedarnos en España. Podemos ir en coche a todas partes, llevar todo el equipaje que queramos y ahorrar mucho dinero.
Sr. Ruíz Se me ocurre una idea. Mi padre tiene una casa cerca de Jaca, en el Pirineo aragonés. Va a estar fuera todo el verano, porque se va a los

Estados Unidos a pasar cuatro meses. Seguramente le encantaría que ustedes se aprovecharan de la casa durante su ausencia. Nosotros, naturalmente, también vamos a pasar unos días allí, sólo diez días. Es una casa enorme, con ocho dormitorios, en un valle precioso y está bastante cerca del pueblo. Nos gustaría muchísimo que ustedes aceptaran la invitación. Además, nos ayudarían a mantener la casa durante el verano. Es siempre un problema dejar una casa tan grande vacía tantos meses.

Sra. Díez Pero, ¿está seguro de que a su padre no le importaría?

Sr. Ruíz ¡Qué va a importarle! Mi padre conoce mucho a su marido y quiere mucho a sus niños. ¿Se acuerda de cuando estuvo en Madrid la última vez? Todas las mañanas llevaba de paseo a todos los niños, a los nuestros y a los suyos.

Sr. Díez Bueno, en ese caso, nos encantaría aceptar . . . si su padre estuviera de acuerdo, claro está.

Sra. Ruíz Claro que estará de acuerdo. Mañana mismo lo llamo por teléfono y se lo digo.

Sr. Díez Bueno, son ustedes muy amables, pero creo que sería mejor que yo también lo llamara para darle las gracias.

Sra. Ruíz No es necesario porque el padre de Pepe va a Madrid la semana que viene para coger el avión de Nueva York.

Sr. Díez Si tiene tiempo y le es posible, nos gustaría que viniera a cenar a casa con nosotros.

Sr. Ruíz Mi padre va a pasar por lo menos quince días en Madrid antes de irse a Nueva York.

Sra. Ruíz Pepe, se va haciendo muy tarde. Quisiera irme a casa ahora. Me preocupa un poco esa tos que tiene Juanito. No me gustaría que le pasara algo mientras estamos aquí charlando y pasándolo bien.

Sra. Díez Sí, tiene razón. Son ya casi las dos de la madrugada. Es hora de recogerse. Si pudiéramos encontrar un taxi, volveríamos a casa todos juntos.

Sr. Ruíz Bueno, señores. ¡En marcha! Y a encontrar ese taxi.

NUEVAS EXPRESIONES

¿Y qué tiene Cerdeña de particular?	And what's so special about Sardinia?
Pueden entenderse con la gente	You can understand (and make yourself understood to) the people
Cerdeña queda descartada	Sardinia is out!
No quiero oir hablar de caza	I don't want to hear a word about hunting
A mí me parece una idea genial	I think it's a brilliant idea
Si no hubiera tantísimos turistas	If there weren't so many tourists . . .
Ibiza está también atestada de turistas	Ibiza is packed with tourists as well
¡Qué exagerado es este hombre!	How this man exaggerates!
Se me ocurre una idea	I've just had an idea
¡Qué va a importarle!	Of course he won't mind!
Se va haciendo muy tarde	It's getting very late
Es hora de recogerse	It's time to go to bed
¡En marcha!	Let's get moving!
Y a encontrar ese taxi	And now to find that taxi

NOTAS

1 *Impersonal reflexives*

Spanish has an interesting way of expressing what we might call 'diminished responsibility', namely that one doesn't do something, rather it happens to one. For example:

	Se me olvidó	I forgot (literally 'it forgot itself on me')
	Se me perdió	I lost it (literally 'it lost itself on me')
cf.	Se me rompió el coche	The car broke down on me
Hence	Se me cayó el vaso	I dropped the glass (i.e. 'the glass fell itself on me')

This structure is also used with **ocurrir**:

	Se me ocurre una idea	An idea occurs to me (i.e. I've just had an idea)
cf.	Se me ocurre que . . .	It occurs to me that . . .

2 *Imperfect Subjunctive (iii)*

Observe the following:

Sería muy feo que tuvieran que esperar.
It wouldn't be very nice if they had to wait.

Le encantaría que Vds. se aprovecharan de la casa.
He would be delighted *if* you were to make use of the house.

Nos gustaría muchísimo que Vds. aceptaran la invitación.
We would be very pleased *if* you were to accept the invitation.

Nos gustaría que viniera a cenar a casa con nosotros.
We'd be pleased if he'd come and have dinner with us.

In English we tend to use *if* clauses for expressions involving likes, dislikes and opinions; Spanish uses que + the subjunctive.

3 *si le es posible . . . if it is possible* for him

Spanish often expresses the idea of to or for + a pronoun related to an adjective by simply inserting the dative pronoun before the verb, in this case **ser**.

No me fue posible	It was not possible for me
No me fue posible comprarlo	It was not possible for me to buy it
Me resultó muy aburrido	It turned out very boring to me
No me es muy fácil	It's not very easy for me

4 *¡qué va!*

The very common expression **¡qué va**! is used to say *Of course not!*

¿Le molesta mucho que hable mientras Vd. conduce? – ¡Qué va!
Does it bother you if I talk while you drive? – Of course not!

However, the construction with an infinitive is a little odd to English eyes:

¿A su padre, no le importaría? ¡Qué va a importarle!
Wouldn't it matter to your father? (i.e. Wouldn't he mind?)
Of course it won't matter to him!

¿Será difícil?	¡Qué va a ser difícil!
Will it be hard?	Of course it won't be hard.

5 *Idioms*

a **entenderse con la gente,** *to get along with the people:* because they understand you and you understand them.

b otro sitio somewhere else Cf. ningún sitio nowhere
algún sitio somewhere cualquier sitio anywhere

c mayor, older: as a noun it means *adult,* as opposed to **menor**, *minor.*

d **todas partes,** everywhere: cf. **sitio** idioms above. **Sitio** means basically *place*, and is more specific than **parte(s)**. Idioms with **parte(s)** are:

ninguna parte nowhere
alguna parte somewhere

e **la madrugada,** *the early hours (of the morning)*:

las dos de la madrugada	two o'clock in the morning
llegaron esta madrugada	they arrived early this morning

There is also a verb **madrugar**, to rise or get up early.

Tenemos que madrugar mañana	Tomorrow we have to get up early
A quien madruga, Dios le ayuda	The early bird catches the worm

EJERCICIOS

I I wouldn't like it if it got . . . ed. Don't worry, I'll not let it get . . . ed.

1	No me gustaría que se **olvidara.**	No se preocupe, no se me **olvidará.**
2	rompiera	. . . .
3	cayera	. . . .
4	perdiera	. . . .
5	abriera	. . . .
6	parara	. . . .

II Should we . . . ? We'd be very pleased if you'd . . .

1	¿Debemos **aceptarlo**?	Nos gustaría muchísimo que ustedes lo **aceptaran.**
2	aprovecharlo	. . . .
3	invitarlo	. . . .
4	llamarlo	. . . .
5	usarlo	. . . .
6	cambiarlo	. . . .
7	tomarlo	. . . .
8	terminarlo	. . . .

III There is(n't)/are(n't) . . . But if there were(n't), it'd be a brilliant idea.

1	No hay **tiempo.**	Pero, si hubiera **tiempo,** sería una idea genial.
2	caza	. . . .
3	playas	. . . .
4	pesca	. . . .
5	dinero	. . . .

6 Hay tantos turistas.	si no hubiera tantos turistas..................
7 tanta gente	....
8 tan poco tiempo	....
9 demasiados turistas	....
10 demasiada gente	....

IV Was it . . . for you? — Yes, it turned out very . . . for me.

1 ¿Le fue **interesante**?	Sí, me resultó muy **interesante.**
2 fácil	....
3 difícil	....
4 aburrido	....
5 agradable	....
6 complicado	....

V Will it . . . you? — Of course it won't . . . me!

1 ¿Le **importará**?	¡Que va a **importarme**!
2 estorbará	....
3 molestará	....
4 interesará	....
5 aburrirá	....
6 desagradará	....

VI Should we . . . (it) here? — No, it'd be better if we . . . somewhere else.

1 ¿**Lo dejamos** aquí?	No, sería mejor que **lo dejáramos** en otro sitio.
2 compramos	....
3 buscamos	....
4 Cenamos	....
5 Hablamos	....
6 **Lo discutimos**	..................**lo discutiéramos** ....
7 abrimos	....
8 Comemos	....

15 Díez pasa las de Caín

Sr. Díez ¿Qué plan tenemos para hoy?

Sra. Díez Lo sabes de sobra. Has prometido que me acompañarías a hacer unas compras.

Sr. Díez Pero, mujer, lo he prometido, es cierto, . . . pero . . .

5 *Sra. Díez* No hay peros que valgan. Yo me vuelvo esta noche a Madrid y no tendré otra ocasión de comprar ese bolso que tantas veces me has prometido y que nunca me has regalado.

Sr. Díez Pues bien, voy a cumplir esa promesa.

Sra. Díez No pongas esa cara de mártir. A propósito, ha llamado el señor Ruíz. Dice que su abogado tiene preparado el contrato para la firma. Dice que es muy importante que tú lo estudies detenidamente antes de firmarlo y que tienes que pasar por el despacho del abogado, que está precisamente al lado de la tienda por donde pienso empezar mis compras.

Sr. Díez Estupendo. Yo voy primero a ver al abogado, recojo el contrato y, luego, te acompaño a tus compras. ¿Estás ya lista?

Sra. Díez Sí, cuando tú quieras podemos irnos. (*Díez y su mujer bajan a la calle.*)

Sr. Díez ¡Taxi! ¡Taxi!

Taxista Buenos días. ¿Adónde, señores?

Sr. Díez Vamos primero a Vía Layetana 97. Después, iremos a los almacenes Prat.

Sra. Díez No merece la pena ir en taxi, podemos ir a pie desde Vía Layetana. Está a dos pasos.

Taxista Bueno, entonces a Vía Layetana, ¿no es eso?

Sra. Díez Sí, vamos. ¿Sabe usted dónde está?

Taxista Señora, si no lo supiera, no sería taxista. (*El taxi arranca.*)

Sra. Díez Oiga, me parece que se ha equivocado usted. Tendría que haberse metido por aquella plaza y dar la vuelta a la derecha.

Taxista Yo sé lo que me hago, señora.

Sra. Díez Yo no estoy tan segura.

Sr. Díez María, ¿quieres dejar que vaya por donde quiera? El tiene que saber lo que hace, ¿no te parece?

Taxista La señora tiene razón, o mejor dicho, tenía razón. Hasta ayer se podía ir por esa calle, pero desde hoy es calle de dirección única.

Sra. Díez ¡Vaya! Discúlpeme usted. Si hubiera pensado un momento, no habría dudado de la pericia de un taxista de Barcelona.

Taxista No me ofendo, señora. Mire, ya estamos llegando. Después de las luces de tráfico está el número 97. (*El taxi se arrima a la acera y salen.*)

Sr. Díez Usted me dirá cuánto le debo.

Taxista Son 18 pesetas.

Sr. Díez Tenga, veinte pesetas. Y quédese con el cambio.

Taxista Muchas gracias, señor. A pasarlo bien. (*Díez y su señora sube al despacho del abogado.*)

Secretaria Buenos días, señor. ¿En qué puedo servirle?

Sr. Díez He venido a recoger un contrato a nombre de José Díez. ¿Puedo ver al señor Miralles?

Secretaria Ha salido hace diez minutos. ¿Quiere usted esperar?

Sr. Díez El señor Ruíz me dijo que viniera a recoger el contrato. Al parecer, está todo preparado.

Secretaria Sí, le puedo dar el contrato ahora mismo. Un momentito. Mire, aquí está.

Sr. Díez ¡Caray! Es enorme.

Secretaria No, no es muy grande. El sobre contiene otros varios documentos, un mapa de España con todas las agencias de distribución, folletos informativos y toda la información que le es necesaria para estudiar el contrato.

Sr. Díez ¡Menos mal! Bueno, me lo llevo todo y mañana volveré a firmarlo. Buenos días, señorita.

Secretaria Adiós, que lo pase bien.

Los Díez llegan, por fin, a los Almacenes Prat.

Sra. Díez Ten cuidado con ese sobre. No vayas a perderlo.

Sr. Díez Pierde cuidado, mujer. Es demasiado importante para que lo deje olvidado en cualquier sitio.

60 *Dependienta* ¿Les atienden a ustedes?

Sra. Díez Quisiera comprar un bolso de cuero como ésos, pero veo que no tienen el color que necesito. Busco uno azul.

Dependienta Lo siento, señora. Es justamente el único color que no tenemos.

Sr. Díez Bueno, es igual un color que otro.

65 *Sra. Díez* Eso crees tú. No, vamos a otra tienda que está aquí cerca. Seguramente lo tendrán allí. (*Salen de los Almacenes Prat y recorren todas las tiendas de los alrededores. Al final, Díez no puede con su cuerpo y sigue a su mujer a rastras.*)

Sr. Díez Van ya siete almacenes y tiendas y todavía no has encontrado tu bolso.
70 ¿Estás segura de que ese bolso realmente existe?

Sra. Díez Pues, claro que existe. Lo he visto mil veces.

Sr. Díez ¿No sería mejor que lo dejaras y te lo compraras en Madrid?

Sra. Díez No, José. Ese bolso me lo compro en Barcelona o no me lo compro en ningún sitio. Por cierto, ¿qué ha sido de tu sobre?

75 *Sr. Díez* ¿Qué sobre?

Sra. Díez Ese sobre que recogiste en el despacho del abogado.

Sr. Díez ¡Ay! Lo he dejado en alguna parte. Pero, ¿dónde? ¡Madre mía! Si se me ha perdido, Millares y Ruíz me van a matar. Tenemos que volver sobre las huellas y encontrar ese sobre, cueste lo que cueste.

80 *Sra. Díez* Estupendo. Así podré echar otro vistazo a los bolsos y a lo mejor . . .

Sr. Díez Pero, mujer, olvídate de tu maldito bolso. Ese documento es muy importante. No sé si te das cuenta de la gravedad del caso. Tenemos que encontrarlo porque si no, soy yo quien va a pagar el pato.

NUEVAS EXPRESIONES

Díez pasa las de Caín	Díez goes through hell
Lo sabes de sobra	You know only too well
No hay peros que valgan	There can be no excuses
No pongas esa cara de mártir	Don't put on that martyred expression
Tendría que haberse metido por esa plaza	You ought to have turned into that square
Yo sé lo que me hago	I know what I'm doing
Desde hoy es calle de dirección única	From today it's a one-way street
Al parecer	Seemingly
Díez no puede con su cuerpo	Díez can hardly keep on his feet
Sigue a su mujer a rastras	He drags himself after his wife
Van ya siete almacenes	That's seven stores already!
Tenemos que volver sobre las huellas	We have to retrace our steps
Cueste lo que cueste	Whatever the cost
Así podré echar otro vistazo	That way I'll be able to take another look
Soy yo quien va a pagar el pato	I'm the one who's going to face the music

NOTAS

1 *The familiar **tú** form*

Tú and its related verbal forms are used when addressing intimate friends, relatives and young children. Except in the case of small children, no foreigner should use these forms unless specifically asked to by a native.

The verb forms for **tú** are simply made by adding **-s** to the **usted** form that we already know, except in the past and the imperative. Here are some examples for comparison:

Polite	*Familiar*	
Lo sabe de sobra	Lo sabes de sobra	You know only too well
Ha prometido	Has prometido	You've promised
Es importante que usted lo estudie	Es importante que **tú** lo estudies	It's important that you study it
Cuando usted quiera	Cuando **tú** quieras	Whenever you like
Usted me dirá	**Tú** me dirás	You can tell me
No vaya a perderlo	No vayas a perderlo	Don't go and lose it
Sería mejor que lo dejara	Sería mejor que lo dejaras	It'd be better if you left it
Ese sobre que llevaba	Ese sobre que llevabas	That envelope you were carrying

The sole exception is the present of the verb **ser** : **usted es** but **tú eres.**

2 *The familiar past*

The forms of the past for **tú** are made by adding the ending **-aste** for regular **-ar** verbs and the ending **-iste** for all **-er** and **-ir** and irregular preterites.

Polite	*Familiar*	
Usted lo pagó	**Tú** lo pag**aste**	You paid for it
Usted no lo compró	**Tú** no lo compr**aste**	You didn't buy it
Usted lo recogió	**Tú** lo recog**iste**	You picked it up
Usted lo abrió	**Tú** lo abr**iste**	You opened it
Usted lo dijo	**Tú** lo dij**iste**	You said it
Usted no vino	**Tú** no vin**iste**	You didn't come

3 *The familiar imperative*

In form the familiar imperative is identical with the third person singular of the present indicative, except in the following forms:

salir	¡sal!
hacer	¡haz!
venir	¡ven!
tener	¡ten!
poner	¡pon!
decir	¡di!
ir	¡ve!

The negative imperative, familiar, is formed by adding **-s** to the polite form:

Polite	*Familiar*	
No lo haga	No lo hagas	Don't do it
No me lo diga	No me lo digas	Don't tell me
No lo abra	No lo abras	Don't open it
No lo cierre	No lo cierres	Don't close it
No me moleste	No me molestes	Don't bother me

4 *Pronominal form of* ***tú***

Polite	*Familiar*		
¿**Usted** quiere algo?	¿**Tú** quieres algo?	*Subject*	Do you want anything?
No **le** vi	No **te** vi	*Object*	I didn't see you
No es **su** dinero	No es **tu** dinero	*Possessive*	It isn't your money
No es **suyo**	No es **tuyo**	*Possessive*	It isn't yours
Esto es para **usted**	Esto es para **ti**	*Disjunctive*	This is for you

Note that, like **conmigo**, we also say **contigo**, *with you.*

5 ***Idioms***

a No hay peros que valgan, literally *There are no buts that are valid.*
peros is used to mean *objections*, cf. **poner peros a**, to quibble about, object to.

b pasar las de Caín, *to suffer a lot, go through hell* (like Cain, for murdering Abel).

c Díez no puede con su cuerpo, the basic meaning of **no poder con** is *not to be able to cope with*:

No puedo con este niño — I can't cope with this child

d pagar el pato, combines the meanings of *to face the music* and *to carry the can.*

e mejor dicho, *or rather*, is a way of correcting what we have said:

Vale diez, mejor dicho, quince pesetas — It's worth 10, or rather, 15 pesetas

f Está a dos pasos — It's a stone's throw away.

EJERCICIOS

I Díez . . .	Yes, but . . . you . . . ?	No, I don't . . .
1 Díez **lo cree.**	Sí, pero ¿**lo crees** tú?	No, no **lo creo.**
2 lo quiere	. . . .	. . . .
3 lo ha visto	. . . .	. . . .
4 lo ha firmado	. . . .	. . . .
5 lo decía	. . . .	. . . .
6 lo llevaba	. . . .	. . . .
7 vendrá	. . . .	. . . .
8 volverá	. . . .	. . . .

II Why did Juan . . . ?	Because you didn't . . .
1 ¿Por qué **pagó** Juan?	Porque tú no **pagaste.**
2 entró	. . . .
3 habló	. . . .
4 lo compró	. . . .
5 vino	. . . .
6 salió	. . . .
7 comió	. . . .
8 lo dijo	. . . .

	III Do I . . . (it)?	No, don't . . . (it).
1	¿**Lo hago**?	No, no **lo hagas.**
2	digo	....
3	traigo	....
4	pido	....
5	bebo	....
6	**compro**	.........**compres**...............................
7	dejo	....
8	firmo	....
9	llamo	....
10	llevo	....

	IV I can't . . .	Or rather, you don't want to . . .
1	No puedo **hacerlo.**	Mejor dicho, no quieres **hacerlo.**
2	ayudarle	....
3	venir mañana	....
4	asistir a la reunión	....
5	llegar temprano	....
6	pagar la cuenta	....
7	ir de compras	....
8	llamar a Díez	....

	V I have to . . . the . . .	Wouldn't it be better if you . . . them/it some other day?
1	Tengo que **pagar la** cuenta	¿No sería mejor que **la pagaras** otro día?
2	alquilar el coche	....
3	sacar las entradas	....
4	firmar el contrato	....
5	leer los documentos	....
6	ver la película	....
7	escribir las cartas	....
8	hacer los encargos	....
9	reservar el billete	....
10	traer la maleta	....

	VI Is this / Are these your . . . ?	No, mine is / are on the table with yours.
1	¿Es éste tu libro?	No, **el mío está** en la mesa con **el tuyo.**
2	sobre	....
3	¿Es ésta tu cartera?	....
4	chaqueta	....
5	¿Son éstos tus guantes?	....
6	periódicos	....
7	¿Son éstas tus revistas?	....
8	cartas	....

16 Díez pierde la cabeza . . . y recobra el paquete

Sr. Díez Tengo que encontrar ese paquete. ¡Qué suerte la mía! Y todo por tu maldito bolso y tus malditas compras. No hay derecho.

Sra. Díez Mira, José, no pierdas la cabeza. Hemos estado en siete tiendas. Si tú vas a las cuatro primeras, yo iré a las tres últimas. Nos encontramos a las doce y media en la plaza de Colón, en el café donde solemos tomar el aperitivo. Muy mala suerte tendríamos que tener para que ninguno de los dos lo encontrara. Así que, a buscar ese paquete. Cuanto antes empecemos a buscarlo, antes lo encontraremos.

Sr. Díez ¡Ojalá tengas razón! Bueno, en marcha.

La señora Díez espera sentada en el café Colón. Dan las doce y media y su marido todavía no ha llegado

10 *Camarera* ¿Qué va a tomar, señora?

Sra. Díez Por el momento, nada. Espero a que llegue mi marido. Pero no, tráigame un granizado de limón. Tengo mucha sed. ¿Qué hará este hombre? Me extraña que no haya venido todavía. Suele ser tan puntual.

Sr. Díez (*Llega muy cariacontecido.*) Nada, no hay nada que hacer. Ese paquete
15 está perdido y bien perdido. Espero que hayas tenido más suerte.

Sra. Díez No, lo siento, pero nadie ha podido darme la menor noticia del paquete. En cambio, he encontrado el bolso que buscaba. Mira qué bonito es.

Sr. Díez Me importa un bledo tu bolso per bonita que sea. Es el paquete lo que me preocupa, sabes, y nada más.

20 *Sra. Díez* Si te enfadas no conseguiremos nada. Te voy a dar otra idea. A lo mejor lo has dejado en un taxi.

Sr. Díez ¡Vaya un consuelo! Hay miles de taxis en Barcelona.

Sra. Díez Cálmate, hombre. Pensemos despacio. Tú dices que no está en ninguna de las tiendas que has recorrido. Sin embargo, en las tres primeras tiendas
25 en que yo he estado me dijeron que nos habían visto salir con el paquete. Un paquete tan enorme lo ve todo el mundo. En la cuarta, ya no nos vieron salir con el paquete, lo cual quiere decir que lo hemos perdido entre la tercera y la cuarta. ¿Qué hicimos entre esas dos tiendas?

Sr. Díez Ya me acuerdo. Fuimos a pie a una librería para comprar el libro que
30 me encargó mi hermano. Pues, ahí tiene que estar.

Sra. Díez ¡Qué detective eres! Vamos volando a esa librería.

Sr. Díez Espera, mujer. Tengo mucha sed y quiero tomar algo antes.

Sra. Díez No. Tenemos que irnos en seguida, por mucha, sed que tengas.

Llegan a la librería

Dependienta Buenos días, señores. ¿En qué puedo servirles?

35 *Sr. Díez* Verá usted. Hemos perdido un paquete, un sobre muy grande que contiene unos documentos muy importantes. Hemos estado en varios sitios y creemos que lo hemos dejado aquí, entre las diez y media y las once.

Sra. Díez Mi marido compró un libro y, por lo visto, se dejó el sobre en el mostrador.

Sr. Díez ¿Puede usted echar un vistazo a ver si lo encuentra? Era un sobre enorme,
40 de color blanco.

Dependienta Tenemos miles de sobres así que usamos para mandar libros por correo.

Mire ese montón de paquetes y sobres, todos iguales. Todos contienen libros. Pero, voy a ver. El sobre lleva su nombre, ¿verdad?

Sr. Díez Pues, creo que sí. Mi nombre es José Díez y mis señas en Barcelona el
45 Hotel Real.

Librero ¿Qué ocurre?

Dependienta Este señor cree haber dejado un paquete aquí esta mañana cuando vino a comprar un libro. ¿Usted sabe algo? Se llama José Díez.

Librero Pues, claro que sé. Tiene usted suerte. Lo encontré encima del mostrador y
50 lo puse con los otros paquetes para mandar al correo. Mañana por la mañana lo tendrá usted en su domicilio. Yo creí que era uno de tantos paquetes. Tenía el nombre y la dirección, Hotel Real si mal no recuerdo . . .

Sr. Díez ¡Es mi paquete! Te das cuenta, María, al fin lo hemos encontrado. No sabe usted cuánto le agradezco que lo haya mandado al hotel. Así, es
55 seguro que no se pierde.

Sra. Díez Sí, pero tendrás que esperar hasta mañana . . .

Sr. Díez Aunque tuviera que esperar una semana . . . Y en todo caso, me alegro de que haya ocurrido esto. No tenía ganas de leerme todo ese documento esta noche. Lo dejaré para mañana por la mañana. Muy agradecido,
60 señor. Muchas gracias, señorita. (*Salen de la librería. Díez está loco de alegría.*)

Sr. Díez Bueno, todo ha salido a pedir de boca. Tú tienes tu bolso, yo tengo mi contrato. La lata es que tendré que leerlo mañana por la mañana. Bueno, de todos modos, por largo que sea, es un contrato que merece la pena.

65 *Sra. Díez* Esto hay que celebrarlo.

Sr. Díez Claro que hay que celebrarlo. Vamos a comer. ¡Taxi!

NUEVAS EXPRESIONES

¡Qué suerte la mía!	What luck I'm having!
No hay derecho.	It's just not fair
Cuanto antes empecemos a buscarlo antes lo encontraremos.	The sooner we start looking for it, the sooner we'll find it
¡Ojalá tengas razón!	If only you're right!
Espero a que llegue mi marido	I'm waiting for my husband to come
Llega muy cariacontecido	He arrives very woebegone
Me importa un bledo	I don't give a hang for it
¡Vaya un consuelo!	That's a fine consolation!
Vamos volando a esa librería	Let's rush back to that bookshop
por lo visto	apparently
Todo ha salido a pedir de boca	Everything has turned out superbly

NOTAS

1 *Professions, shops, etc.*

Note the following:

libro	(book)	libr**ero** (bookseller)	libr**ería** (bookshop)

The ending **-ero** in Spanish often denotes the person who makes, sells or delivers the article, and the ending **-ería** the shop where the article is sold.

Examples:

fruta	(fruit)	frutero	frutería
leche	(milk)	lechero	lechería
carne	(meat)	carnicero	carnicería
pan	(bread)	panadero	panadería
zapato	(shoe)	zapatero	zapatería
joya	(jewel)	joyero	joyería

2 *por bonito que sea tu bolso . . .*

Note these examples:

Por bonito que sea tu bolso, me importa un bledo.
However pretty your bag may be, I don't care a hang about it.

Por largo que sea, es un contrato que merece la pena.
However long it may be, it's a worthwhile contract.

Compare:

Por mucha sed que tengas, vamos en seguida.
However thirsty you may be, let's go at once.

Thus the Spanish structure is **Por** + adjective + verb in the subjunctive.

3 *lo cual which*

We use **lo cual**, *which*, to refer to a whole series of ideas or a sentence as in:

Nos vieron salir con el paquete, lo cual quiere decir . . .
They saw us leave with the parcel, which means . . .

Here **lo cual** refers to **nos vieron salir con el paquete**.

Juan no puede hacerlo, lo cual no me extraña.
Juan can't do it, which doesn't surprise me.

4 *More subjunctives . . .*

i **Agradecer**, *to thank*, takes the subjunctive, as in these examples:

Le agradezco que me haya ayudado tanto.
I thank you for having helped me so much.

Sé que no me agradecerá que se lo diga.
I know that he won't thank me for telling him.

ii Me extraña que no haya venido todavía.
I'm surprised that he hasn't come yet.

Extrañar, *to surprise*, takes the subjunctive if a clause follows:

Me extraña que no le sepan.	It surprises me that they don't know.
Me extrañó que no lo supieran.	It surprised me that they didn't know.

iii Muy mala suerte tendríamos que tener **para que** nadie lo encontrara.
We would have to have very bad luck *in order* that nobody should find it.

para que, *in order to* or *so that,* takes the subjunctive:

Me hizo venir **para que** le ayudara.
He made me come *in order* to help him (so that I should help him).

Póngalo aquí **para que** sepamos donde está.
Put it here *so that* we shall know where it is.

iv **Aunque . . .**

Aunque tuviera que esperar una semana . . .
Even if I had to wait a week . . .

Note this use of **aunque** with the past subjunctive. **Aunque** also means *although* and therefore it may take the indicative or the subjunctive depending on circumstances. Thus:

Iré, aunque estoy enfermo	I'll go, although I'm ill
Iré, aunque esté enfermo	I'll go, even if I should be ill

As a general rule, if what follows **aunque** is true, then we use the indicative, while if it is not true, or at least mere supposition, we use the subjunctive.

Lo haré, aunque tenga que esperar una semana.
I'll do it even though I may have to wait a week.

Lo haré, aunque tengo que esperar una semana.
I'll do it even though I have to wait a week.

Lo haría, aunque tuviera que esperar una semana.
I'd do it, even if I had to wait a week.

5 ***Soler*** **(*ue*)**

Soler means *to be accustomed to, to be wont.* It is mostly used in the present and imperfect, and a following verb is always in the infinitive:

suele llegar a las ocho	*he usually arrives* at eight
solemos comer temprano	*we usually eat* early
solía ir allí los domingos	*I always used to go* there on Sundays

6 ***Idioms***

a **maldito** means literally *cursed*, but is weaker in Spanish than in English. A similar expression would be *confounded*, *blessed* in English.

b cuatro primeras . . . tres últimas, notice that Spanish word order is the reverse of the English: *first four*, . . . *last three.*

c a buscar ese paquete: In Spanish we often say **A** *plus* infinitive where we'd say *Let's* . . . in English. Compare **A ver** *Let's see.* **A comer** *Let's eat.*

d **Ojalá** (medieval Spanish-Arabic: *If Allah wills*) is used with the subjunctive to express a wish or hope that something may happen. ¡**Ojalá**! by itself means *I hope so.*

e esperar a que *plus* subjunctive is frequently used to distinguish between *waiting*, as in this lesson, and *hoping*, which is **esperar que** with either the indicative or the subjunctive, depending on the faith we have in our hopes.

f echar un vistazo, to take a look

g a pedir de boca: a frequent expression meaning roughly *to warm the cockles of your heart* or *just as the doctor ordered*, i.e. *excellent*(*ly*).

h entre las dos y las tres   between two and three o'clock.

EJERCICIOS

I How . . . this . . . is!	However . . . it may be, you have to finish it
1 ¡Qué **largo** es este contrato!	Por **largo** que sea, tiene usted que terminarlo.
2 pesado libro	. . . .
3 malo café	. . . .
4 aburrido informe	. . . .
5 desagradable trabajo	. . . .
6 difícil ejercicio	. . . .

II Has Juan . . . ed it?	No, he hasn't . . . ed it, which doesn't surprise me.
1 ¿Lo ha **hecho** Juan?	No, no lo ha **hecho,** lo cual no me extraña.
2 traído	. . . .
3 terminado	. . . .
4 comprado	. . . .
5 pagado	. . . .
6 arreglado	. . . .
7 escrito	. . . .

III

a What time do you . . . ?	I usually . . . early.
1 ¿A qué hora **almuerza** Vd.?	Suelo **almorzar** temprano.
2 está Vd. en casa	. . . .
3 viene Vd. por aquí	. . . .
4 se acuesta Vd.	. . . .
5 se levanta Vd.	. . . .
6 se marcha Vd.	. . . .

b Do you . . . a lot?	I used to . . . a lot when I was younger.
1 ¿**Trabaja** Vd. mucho?	Solía **trabajar** mucho cuando era más joven.
2 Bebe	. . . .
3 Viaja	. . . .
4 Pesca	. . . .
5 Caza	. . . .

IV Is he . . . at . . . o'clock?	No, he says he will . . . between half past . . . and . . .
1 ¿**Llega** a **las dos**?	No, dice que **llegará** entre **las dos y media** y **las tres.**
2 ¿Entra a las seis?	. . . .
3 ¿Llama a las diez?	. . . .
4 ¿Termina a la una?	. . . .
5 ¿Se marcha a las cuatro?	. . . .
6 ¿Come a las nueve?	. . . .
7 ¿Viene a las once?	. . . .
8 ¿Sale a las dos?	. . . .

V Did you . . . ?	Yes, Díez made me come so that I could . . . it.
1 ¿Lo **arregló** usted?	Sí, Díez me hizo venir para que lo **arreglara.**
2 firmó	. . . .
3 compró	. . . .
4 buscó	. . . .
5 alquiló	. . . .
6 vió	. . . .
7 escribió	. . . .
8 eligió	. . . .
9 pidió	. . . .
10 abrió	. . . .

VI Will you do it, if they . . . you?	I'd do it, even if they didn't . . . me.
1 ¿Lo hará usted si le **ayudan**?	Lo haría aunque no me **ayudaran.**
2 pagan	. . . .
3 acompañan	. . . .
4 llaman	. . . .
5 llevan	. . . .
6 escriben	. . . . **escribieran** . . . .
7 se lo piden	. . . . **lo pidieran** . . . .
8 prometen	. . . .
9 permiten	. . . .
10 prohiben	. . . .

17 El señor Díez está enfermo

Camarera ¿Se puede?

Sr. Díez (*Con voz de acatarrado*) ¡Adelante!

Camarera Ay, señor, usted perdone. No sabía que estaba en la cama.

Sr. Díez Menos mal que ha venido. Estoy muy mal, francamente mal. Tengo una
5 gripe de miedo.

Camarera ¿Quiere usted que le traiga algo?

Sr. Díez Sí, por favor. El teléfono no funciona. Llevo más de media hora intentando comunicar con alguien. Tráigame un buen vaso de zumo de limón caliente con whiskey, si no es molestia.

10 *Camarera* No, no es molestia en absoluto. Pero . . ., ¿limón con whiskey?

Sr. Díez Pues sí, ¿por qué no? Es mi remedio preferido y siempre da buen resultado.

Camarera Hay un médico en el hotel. Si usted quiere, puedo llamarlo.

Sr. Díez De acuerdo. Pero primero tráigame mi limón con whiskey. (*Suena el teléfono.*) Oiga, ¿es la centralita?

15 *Telefonista* Sí, hable.

Sr. Díez Oiga, esto es increíble. Llevo no sé cuanto tiempo intentando hablar con Madrid. ¿Quiere decirme qué pasa?

Telefonista Ha habido una avería en la línea. Lo siento, señor. Pero ya está reparada. No se retire, por favor.

Sra. Díez Diga.

Sr. Díez Hola, María, soy yo, José. Creo que no voy a poder salir para Madrid mañana. Tengo una gripe que no veo. El médico va a venir de un momento a otro y él sabrá lo que me pasa. Te llamaré dentro de media hora, si quieres.

Sra. Díez No, te llamaré yo. Cuídate bien y no hagas locuras. Adiós, hasta luego.

(*Llaman a la puerta.*)

Sr. Díez ¡Adelante!

Camarera Aquí tiene su limón con whiskey. El médico viene ahora.

Dr. Pérez Buenos días, señor Díez. ¿Qué hay de bueno?

Sr. Díez Querrá usted decir, ¿qué hay de malo? Creo que tengo gripe.

Dr. Pérez ¿Gripe en verano y con este calor? Vamos a ver el pulso. Está normal. La temperatura un poco alta, pero nada de particular. A ver la lengua. Hmm. Pues, sí. Tiene usted gripe. ¿Cuándo empezó a notar los síntomas?

Sr. Díez Anoche, al acostarme, tenía dolor de cabeza y me dolía la garganta. Doctor, tengo que salir para Madrid mañana por la mañana. ¿Cree usted que me habré puesto bien para mañana?

Dr. Pérez Mañana no estará usted en condiciones de viajar. Sería una locura.

Sr. Díez Pero, doctor, tengo que estar en Madrid mañana por la noche.

Dr. Pérez Haga lo que quiera, pero le repito que no está usted para viajes. Ni pensarlo. Le voy a dar estas pastillas. Tome una cada tres horas y volveré a verle esta tarde. ¿Y qué está usted tomando?

Sr. Díez Es zumo de limón caliente con whiskey. Es muy bueno.

Dr. Pérez No lo dudo. En cuanto viene un catarro, todos a beber whiskey como si sirviera de algo. ¡Qué ilusión! El whiskey sólo sirve para alegrar al paciente un poquitín y darle un pretexto para empinar el codo. Un consejo, señor Díez, si quiere beber whiskey, bébalo sin zumo de limón. Sabe mucho mejor. ¡Ah! Otra cosa, coma usted bien, lo que sea, pero coma bien y abundante. La camarera le pondrá la televisión ahora y le traerá unas revistas. ¿No tiene usted amigos en Barcelona?

Sr. Díez Sí, tengo varios amigos. Los Ruíz . . .

Dr. Pérez ¿Quiere usted que les avise?

Sr. Díez No, no quiero dar la lata. Además, estaré bien pronto. (*Suena el teléfono.*) Un momento, doctor. Diga.

Sr. Ruíz Soy yo, Ruíz. Su mujer acaba de llamarnos y nos hemos enterado de su enfermedad. Si quiere usted algún recado para ella, nosotros nos vamos a Madrid mañana por la mañana.

Sr. Díez ¡Ah! Se me ocurre una idea. ¿Por qué no van ustedes en mi coche y así me llevan a mí a Madrid. Espere, el médico está aquí. Le voy a preguntar si es prudente hacer el viaje.

Dr. Pérez Sí, claro. Me parece muy bien, con tal de que se abrigue usted bien y no se siente donde haya corriente.

Sr. Díez Bueno, el médico dice que sí. O sea que, si usted no tiene inconveniente, podemos hacer el viaje juntos.

Sr. Ruíz No es molestia ninguna. Mi mujer también sabe conducir y nos turnaremos al volante. Usted se lo toma con calma y, quien sabe, a lo mejor se le cura la gripe antes de llegar a Madrid. Entonces, quedamos en que vendremos a recogerle mañana a media mañana. Antes de pasar por su hotel, iré a ver al abogado Millares para entregarle el contrato firmado. No se preocupe usted de esto. Yo me encargo de todo.

Sr. Díez No sabe usted cuánto se lo agradezco. Quizá sea mejor que usted se
70 entienda con el abogado. Esta gripe me tiene atontado y no puedo pensar a derechas.

Sr. Ruíz Hasta mañana, pues, Y que se mejore.

Dr. Pérez Bien, le dejo por ahora. Vendré más tarde para ver como se encuentra. Y en todo caso, puede hacer el viaje a Madrid sin miedo.

75 *Sr. Díez* Gracias, doctor. Hasta luego. Bien, ahora vamos a ver que hay en la televisión. Seguro que hay un partido de fútbol, o una corrida de toros o algo por el estilo.

NUEVAS EXPRESIONES

Menos mal que ha venido	Thank goodness you've come
Llevo más de media hora intentando comunicar con alguien	I've been trying for more than half an hour to get in touch with someone
. . . si no es molestia	. . . if it's no trouble
no . . . en absoluto	not . . . at all
Ha habido una avería	There's been a breakdown
No se retire, por favor	Hold the line, please
Tengo una gripe que no veo	I've got raging 'flu
No hagas locuras	Don't do anything silly
¿Qué hay de bueno?	How's life treating you?
No está usted para viajes	You're in no condition to travel
Ni pensarlo	Don't even think of it
. . . como si sirviera de algo	. . . as if that were any use
empinar el codo	to tipple, have a few
Sabe mucho mejor	it tastes better
lo que sea	whatever it may be
No quiero dar la lata	I don't want to be a nuisance
Se me ocurre una idea	An idea just occurred to me
o sea que	that is to say
si usted no tiene inconveniente	if you have no objection
nos turnaremos al volante	we'll take turns at the wheel
quedamos en que . . .	we're agreed that . . .
a media mañana	in the middle of the morning
algo por el estilo	something like that

NOTAS

1 *llevar tiempo*

Llevo más de media hora intentando comunicar con alguien.
I've been trying for more than half an hour to get in touch with someone.

Llevó no sé cuanto tiempo intentando hablar con Madrid.
I've been trying for I don't know how long to talk to Madrid.

This is a very common expression. Note the following:

Llevo dos años aquí	I've been here for two years
Llevamos una hora esperando	We've been waiting for an hour

2 ***Sería una locura***

Spanish frequently uses a noun where we would use an adjective in English. Note the following:

Sería una locura	That would be crazy (a mad thing to do)
No hagas locuras	Don't do anything silly

3 ***Wherever, whenever***

Spanish uses the subjunctive after **lo que**, **cuando**, **donde**, etc., to express the idea of English *whatever*, *whenever*, *wherever*, etc., as in the following examples:

Haga lo que quiera	Do whatever you like
Siéntese donde quiera	Sit wherever you like
Puede venir cuando quiera	You can come whenever you like

Note also these examples:

Coma usted bien, lo que sea	Eat well, whatever it is
No se siente donde haya corriente	Don't sit wherever there's a draught

4 ***More uses of poner(se)***

We have already seen **ponerse**: to become. Note also the following:

ponerse	to put on (clothes, etc.)
se puso el sombrero	he put his hat on
poner la mesa	to set the table (cf. Note 7 below)
poner la televisión, la radio	to switch on the TV, radio
poner en marcha	to start up (a motor)

5 ***con tal de que***

Con tal de que or **con tal que** means *provided that* and is followed by the subjunctive.

Me parece muy bien, con tal (de) que se abrigue usted bien.
I think it's quite all right, provided you wrap yourself up well.

Lo haré, con tal que usted me ayude.
I'll do it, provided you help me.

6 ***More reflexives***

Usted se lo toma con calma.	You take it very calmly.

This is a reflexive that simply adds emphasis, as in

¡Yo sé lo que me hago!	I know what I'm doing!

The passive reflexive, of the type **se dice que** . . . *it is said that* also occurs in this lesson:

a lo mejor se le cura la gripe	maybe your 'flu will be cured

7 ***me dolía la cabeza***

Spanish avoids possessives very frequently by using this construction:

Me dolía la cabeza	My head was aching
Se le curará la gripe	Your 'flu will be cured

Compare:

Me corté la mano	I cut my hand
Me quité el abrigo	I took off my overcoat
Me robaron la maleta	They stole my suitcase
Le limpiaré el traje	I'll clean your suit
Nos sirvieron el desayuno	They served our breakfast

8 *Idioms*

a una gripe de miedo, a frightful (dose of) 'flu
de miedo is used after nouns where we would use *frightful.*

b una gripe que no veo, raging 'flu. Compare:

tengo una hambre que no veo	I'm ravenously hungry.

c ¿Qué hay de bueno? How's life treating you? (Lit. What's good?)
Hence Díez's comment that the doctor means ¿Qué hay de malo?

d servir de algo, to be some use. Note also:

sólo sirve para alegrar al paciente	It only serves to cheer up the patient.
No sirve para nada	It's useless.

e Saber: to taste

Sabe mucho mejor	It tastes much better
Sabe a limón	It tastes of lemon
No sabe a nada	It doesn't taste of anything

f dar la lata, to be a nuisance:

¡Qué lata!	What a nuisance/pest!

g empinar el codo: to tipple, to drink a lot (lit. to lift the elbow)

EJERCICIOS

I Have you been . . . ing long? Yes, I've been . . . ing for an hour.

1	¿Hace mucho que **espera**?	Sí, llevo una hora **esperando.**
2	trabaja	....
3	busca	....
4	estudia	....
5	llama	....
6	conduce	....
7	escribe	....
8	lee	....

II Did he . . . it? Man, it would be crazy for him to . . . it.

1	¿Lo **hizo** él?	¡Hombre! Sería una locura que lo **hiciera.**
2	vendió	....
3	dijo	....
4	abrió	....
5	**compró**	.............................**comprara.**
6	alquiló	....
7	reservó	....
8	pagó	....

III . . . shall I . . . it? — . . . it . . . you like.

1 ¿**Dónde** lo **pongo**? — **Póngalo donde** quiera.
2 ¿Cuándo lo hago? — . . . .
3 ¿Cómo lo abro? — . . . .
4 ¿Dónde lo busco? — . . . .
5 ¿Cuándo lo traigo? — . . . .
6 ¿Cómo lo cierro? — . . . .
7 ¿Cuándo lo llamo? — . . . .
8 ¿Dónde lo firmo? — . . . .
9 ¿Qué hago? — . . . .
10 ¿Qué bebo? — . . . .

IV Has Juan got your . . . ? — Yes, I gave it/them to him the day before yesterday.

1 ¿Tiene Juan tu **sombrero**? — Sí, se **lo** di anteayer.
2 reloj — . . . .
3 cartera — . . . .
4 maleta — . . . .
5 tus guantes — . . . .
6 documentos — . . . .
7 pastillas — . . . .
8 revistas — . . . .

V Do I . . . Juan? — Seems fine to me, provided you . . . him tomorrow.

1 ¿Se lo **digo** a Juan? — Me parece bien, con tal que se lo **diga** mañana.
2 pido — . . . .
3 traigo — . . . .
4 vendo — . . . .
5 doy — . . . .
6 cuento — . . . .
7 recuerdo — . . . .
8 reservo — . . . .

VI What is a . . . used for? — It is used for . . . (. . .).

1 ¿Para qué sirve un **abrelatas**? (tin opener) — Sirve para **abrir latas.**
2 lavaplatos (dish-washer) — . . . .
3 sacacorchos (corkscrew) — . . . .
4 pluma (pen) — . . . .
5 vaso (glass) — . . . .
6 cuchara (spoon) — . . . .
7 silla (chair) — . . . .

18 La señora Díez cuenta a una amiga las aventuras de su marido

Amiga Bueno, ¿y qué tal su viaje a Barcelona? Cuénteme.

Sra. Díez El viaje, muy bien. Lo pasamos estupendamente y yo hice unas compras magníficas.

Amiga Hace un momento le llamé a usted por teléfono pero estaba comunicando.

5 *Sra. Díez* Ah sí, estaba hablando con José. Está todavía en Barcelona.

Amiga Pero, cómo. ¿No tenía que volver hoy?

Sra. Díez Efectivamente, pero me llamó para decirme que estaba en cama con gripe y que no podía venir hasta que se encontrara mejor. Acto seguido, yo llamé a los Ruíz y ellos prometieron muy amablemente hacerse cargo 10 del enfermo. Media hora más tarde llamaron aquí otra vez para decir que venían en el coche de mi marido y que lo traerían a Madrid. Menos mal. Así no tendrá que conducir con esa gripe que tiene. Y tendrá el coche en Madrid, porque ya sabe usted que José sin coche es como si no tuviera piernas.

15 *Amiga* Y usted, ¿ cuándo llegó a Madrid?

Sra. Díez Vine en avión hace dos días. José y yo tuvimos una aventura bastante divertida en Barcelona. Es decir, divertida para mí, no estoy tan segura de que lo fuera para él.

Amiga Le robaron el coche, ¿no?

20 *Sra. Díez* Sí, nada más llegar a Barcelona. Pero usted lo sabe ya todo, ¿verdad? No, ésta es otra aventura. Anteayer estábamos todavía en Barcelona. Logré convencer a mi marido para que me acompañara a ir de compras. Yo iba en busca de un bolso de cuero. Antes de empezar a andar por tiendas y almacenes, José tuvo que ir a recoger unos documentos muy importantes 25 al despacho del abogado. Era un sobre enorme con no sé cuántos papeles. Estuvimos en siete tiendas . . .

Amiga ¡Caray! Siete tiendas. Para que mi marido hiciese algo parecido, habría que esperar mil años.

Sra. Díez Bueno, José tampoco es muy aficionado a ir de compras conmigo. Pero, 30 de vez en cuando, hace una quijotada de ésas y me la hace durar todo el año. Cuando salimos del último almacén, José se dio cuenta de que no llevaba el paquete debajo del brazo. Me gustaría que lo hubiera usted visto. ¡Qué agitación! Volvimos a entrar en todas las tiendas pero no logramos encontrar el maldito paquete. Menos mal que yo me acordaba de 35 haber estado en una librería, si no ¡adiós documentos! Fuimos a la librería y nos enteramos que una de las dependientas lo había echado al correo creyendo que era un paquete de libros. Como el sobre llevaba el nombre de José y la dirección del hotel, lo recibió en el correo del día siguiente por la mañana. Lo malo fue que José tuvo que leerse todo 40 el contrato entre las diez, cuando llegó el correo, y las once porque el abogado estaba esperando la firma. Se puede usted imaginar cómo tuvo que trabajar el pobre hombre.

Amiga Ustedes se llevarían un buen susto, supongo.

Sra. Díez Sí, claro. José corría el riesgo de perder un contrato que, al parecer, le 45 va a dar un dineral. Yo le dije que era culpa suya porque siempre va por ahí despistado. Pero él porfiaba que la culpa era mía por haberle forzado a ir de compras conmigo. ¿Quién tiene razón? ¡Vaya usted a saberlo!

Amiga Bueno, esta vez le salió mal la quijotada.

50 *Sra. Díez* Pero a mí me salió muy bien. José se dio cuenta de la lata que me había dado con todo eso del sobre perdido y los documentos importantes y ha prometido hacerme un regalo "importante" cuando esté de vuelta en Madrid. No sabemos lo importante que pueda ser ese regalo pero yo supongo que esta vez no se escapa por menos de tres mil pesetas.

55 *Amiga* Vamos, no sea tan dura con él.

Sra. Díez ¡Qué voy a ser dura! Según he calculado, tres mil pesetas son sólo el uno por ciento de lo que piensa ganar con ese famoso contrato. Y conste que fui yo quién le ayudó a encontrarlo. O sea que, en realidad es una pequeña compensación. Además, dentro de unos días será mi cumpleaños.

60 Mi marido piensa seguramente que así podrá matar dos pájaros de un tiro.

NUEVAS EXPRESIONES

pero estaba comunicando	but you were on the phone (i.e. the line was engaged)
Acto seguido	straight away
nada más llegar . . .	as soon as he arrived . . .
prometieron . . . hacerse cargo del enfermo	they promised . . . to take charge of the patient
ustedes se llevarían un buen susto	you must have had quite a fright
siempre va por ahí despistado	he always wanders about in a dream
le salió mal la quijotada	his noble gesture went wrong
todo eso del sobre perdido	all that stuff about the lost envelope
no se escapa por menos de tres mil pesetas	he won't get away with less than 3,000 pesetas
¡qué voy a ser dura!	Of course I'm not being hard!
Y conste que . . .	And let it be clear that . . . And mind you . . . !
matar dos pájaros de un tiro	kill two birds with one stone

NOTAS

1 ***Lograr*** To succeed in ***or*** to manage to, *followed by an infinitive*

Logré convencer a mi marido.
I managed to convince my husband.

No logramos encontrar el maldito paquete.
We didn't manage to find the confounded parcel.

2 ***Comparisons***

More . . . than or *. . . er than* is of course **más . . . que.**

Pedro es más rico que yo.
Pedro is richer than I.

But when the second half of the comparison contains a verb (e.g. richer than you think, more intelligent than he looks) then the construction is **más . . . de lo que** + verb.

Es más rico de lo que parece.
He is richer than he looks.

3 ***hay que, habría que,*** *etc.*

Hay que is used as we use *you should* in English, as in the following examples:

¡Hay que ver como se queja!	You should see how he complains!
¿Esa película? Hay que verla.	That film? You should see it.

Compare:

Para que mi marido hiciese algo parecido, habría que esperar mil años.
For my husband to do anything like that, you'd have to wait a thousand years.

4 ***algo parecido,*** *something like that/similar*

Parecido is used as an adjective to mean *similar*. We have previously had the expression **por el estilo**, e.g. **algo por el estilo** *something of the kind/sort* (Lesson 17).

5 ***constar***

The verb **constar** means basically *to be clear*, *evident*, and as such is used in the following ways:

Consta que Juan lo hizo.	It is clear that Juan did it.
Hizo constar que no lo haría.	He made it clear that he wouldn't do it.
Conste que yo no quiero hacerlo.	Let it be clear that I don't want to do it.

6 ***Subjunctive***

Note the following uses of the subjunctive:

i me gustaría que . . .

Me gustaría que lo hubiera usted visto.	I'd like you to have seen it.
Me gustaría que lo viera usted.	I'd like you to see it.

ii como si . . . as if.

José sin coche es como si no tuviera piernas.
José without a car is as if he didn't have legs.

Como si takes the imperfect subjunctive always:

Se divertía como si no hubiera pasado nada.
He was enjoying himself as if nothing had happened.

iii The subjunctive of doubt and disbelief.

No estoy tan segura de que lo fuera para él.
I'm not so sure that it was for him (i.e. was amusing, in the text).

After verbs and adjectives expressing doubt and uncertainty the subjunctive is used.

Compare the positive:

Estoy segura que fue divertido para él.	I am sure it was amusing for him.

Compare also:

Creía que estaba contento.	I thought he was pleased.
No creía que estuviera contento.	I didn't think he was pleased.

7 *Idioms*

a de vez en cuando, from time to time

b echar al correo, to post

c según, according to

según he calculado according to (what) I have calculated,
although in English we would use a noun here: according to my calculations

d por ciento, per cent

uno por ciento 1%   noventa por ciento 90%

e Ser aficionado a, to be keen on
un aficionado, enthusiast, fan

EJERCICIOS

	I Have you . . . it yet?	No, I didn't manage to . . . it. I'll . . . it tomorrow.
1	¿Lo ha **comprado** ya?	No logré **comprarlo.** Lo **compraré** mañana.
2	firmado	. . . .
3	encontrado	. . . .
4	terminado	. . . .
5	leído	. . . .
6	vendido	. . . .
7	escrito	. . . .
8	hecho	. . . .

	II Does that gentleman . . . you?	No, but he treats us as if he . . . us.
1	¿Ese señor les **conoce** a ustedes?	No, pero nos trata como si nos **conociera.**
2	ayuda	. . . .
3	paga	. . . .
4	invita	. . . .
5	envidia	. . . .
6	importa	. . . .
7	acusa	. . . .
8	debe dinero	. . . .

	III Is the . . .	. . . ?	Yes, he's / she's / it's more . . . than he / she / it looks.
1	¿Es **caro**	el **hotel**?	Sí, es más **caro** de lo que parece.
2	importante	el contrato	. . . .
3	larga	la carta	. . . .
4	fácil	el ejercicio	. . . .
5	fuerte	el abogado	. . . .
6	impaciente	el taxista	. . . .
7	rica	la secretaria	. . . .
8	vieja	la telefonista	. . . .

IV Is John . . . on . . . ?		No. He said he wouldn't . . . until . . .
1 ¿**Llega** Juan el **lunes**?		No. Dijo que no **llegaría** hasta el **martes.**
2 Llama	viernes	....
3 Escribe	miércoles	....
4 Viene	sábado	....
5 Sale	domingo	....
6 Se marcha	martes	....
7 Vuelve	jueves	....

V Where is your . . . ?	it I left them on the table before going out.
1 ¿Dónde **está tu reloj**?	Me **lo** dejé en la mesa antes de salir.
2 tu paquete	....
3 tu cartera	....
4 tu maleta	....
5 están tus contratos	....
6 tus papeles	....
7 tus revistas	....
8 tus pastillas	....

VI He . . . very . . .	I'm not so sure that he . . . so . . .
1 **Lo hizo** muy **bien.**	No estoy tan seguro de que **lo hiciera** tan **bien.**
2 Estuvo muy contento.	....
3 Llegó muy preocupado.	....
4 Escribió muy frecuentemente.	....
5 Fue muy amable.	....
6 Fue muy de prisa.	....
7 Subió muy despacio.	....
8 Entró muy cansado.	....

19 El señor Díez llega a casa

Sr. Díez (*Todavía acatarrado.*) Bueno, por fin hemos llegado a casa.

Sra. Ruíz Sí, pero ahora tápese bien al bajar del coche. Hace fresquito y tiene que cuidarse mucho.

Sr. Ruíz Baje usted con mi mujer y entren en seguida en casa. Yo bajaré las maletas
5 y llevaré el coche al garaje.

Sr. Díez Mil gracias por todo, Ruíz. (*Llama a la puerta*).

Sra. Díez Hola, José. ¿Qué tal estás?

Sr. Díez Ya ves, malucho todavía. Es probable que viva hasta mañana.

Sra. Díez Gracias, señora Ruíz. Han sido ustedes muy amables. ¿Y qué tal les fue
10 el viaje con el enfermo?

Sr. Ruíz (*Que acaba de entrar.*) ¡Terrible! No hacía más que pedir que lo dejasen conducir, como si estuviera en condiciones de hacerlo. Vamos, Díez, no se puede conducir cuando se está tosiendo y estornudando sin parar.

Sra. Ruíz Y cada vez que él le decía a mi marido: "Vamos, déjeme conducir un
15 ratito; debe de ser muy cansado para usted conducir tantos kilómetros de un tirón", mi marido me pasaba el volante y Díez palidecía.

Sra. Díez Claro, mujer. Esa es una de las manías de José. Para él una mujer que conduce es como uno de esos pilotos suicidas japoneses que se estrellaban contra un buque enemigo con avión y todo.

20 *Sr. Díez* No le hagan caso. Ya está exagerando. Yo sólo digo que es difícil que una mujer pueda conducir un coche tan grande como el mío.

Sr. Ruíz En eso estoy de acuerdo. A decir verdad, a mí tampoco me gusta que mi mujer conduzca el mío. Ella tiene su 600 que conduce divinamente, pero cuando conduce el 1400 se desorienta completamente.

25 *Sra. Ruíz* Y cuando tú conduces mi cochecito, ¡hay que ver como te desorientas! Cada vez que quieres adelantar otro coche, te acobardas porque te olvidas de que mi cochecito ocupa la mitad de espacio que el tuyo.

Sra. Díez Basta de discusión. Cuando se empieza a hablar de coches no se acaba nunca. ¿Quieren tomar algo? Tenemos un poco de todo.

30 *Sra. Ruíz* Para mí un jerez seco y Pepe querrá un whiskey con hielo, como de costumbre. A su marido, un whiskey sin hielo, claro está. Según él, el doctor Pérez le aconsejó que bebiese whiskey como medicina.

Sra. Díez ¿Quieren unos bocadillos? Jamón, queso, rosbif, lo que ustedes quieran. A propósito, ¿saben algo de Molina?

35 *Sr. Ruíz* Ah, ¿pero no lo saben? Molina viene a Madrid, si no está ya aquí. Me dijo que quería ir a ver a todos los amigos del congreso y que empezaría sus visitas por esta casa.

Sr. Díez ¡Socorro! No, no, por favor. Estoy demasiado enfermo para aguantar al pelmazo ese. Yo me meto en la cama ahora mismo.

40 *Sra. Díez* Vamos, José. Molina no es un monstruo. En el fondo, es bastante simpático, aunque confieso que es un poco pesado. Acuérdate de cómo echó una cana al aire aquella noche en Sitges; y el pobre hombre tenía razón sobrada de estar enfadadísimo con todos ustedes por la faena que le habían hecho. Molina es un hombre tímido y por eso se mete a organizarlo
45 todo, para dar la impresión de que no lo es.

Sra. Ruíz Sí, es muy probable. (*Llaman a la puerta*).

Sra. Diez Discúlpenme un momentito. (*Abre la puerta y aparece Molina con un gran paquete al brazo.*) ¡Caramba! ¡Qué sorpresa! ¿Cómo usted por aquí? Pase, pase.

Sr. Molina Buenas tardes a todos. Llegué a Madrid esta mañana y me apresuré a
50 venir a saludar a mis amigos del congreso. Señor Díez, he venido especialmente a verle a usted. Me han dicho que tiene usted la gripe. No sabe usted cuánto lo siento.

Sr. Díez Es usted muy amable, señor Molina. ¿No quiere tomar algo?

Sr. Molina Se lo agradezco mucho, pero ya sabe usted que yo nunca bebo. Además,
55 me tengo que ir en seguida. No quiero estorbar. Sólo quería saludarles

y . . . espero que no se moleste usted, señor Díez. Le he traído una medicina estupenda. Se la dejo aquí en esta mesita y usted verá. Adiós, que se mejore. (*Se marcha.*)

Sra. Díez Pero, ¿qué medicina será ésa?

60 *Sr. Díez* Veamos. Es un paquete bastante grande. A lo mejor es una serie de ensalmos y hechizos de una bruja que conoce Molina . . . pero no, ¡caray! tenía usted razón, señora, ese pelmazo de Molina en el fondo es un tío simpático. Fíjense qué medicina me ha traído. Ocho novelas policiacas y dos botellas de whiskey. Hay también una nota. ¡Ja, ja! El tío dice:

65 "Espero que la receta del doctor Pérez le vaya bien; hay que tomar una copa cuando a uno le dé la gana".

NUEVAS EXPRESIONES

Todavía acatarrado	still suffering from his cold
tápese bien al bajar del coche	wrap yourself up well when you get out of the car
¿qué tal les fue el viaje?	What was the journey like?
no hacía más que pedir . . .	he didn't stop asking . . .
cuando se está tosiendo y estornudando	when one is coughing and sneezing
sin parar	endlessly (lit. without stopping)
tantos kilómetros de un tirón	so many kilometres in one stretch
ésa es una de las manías de José	José's got a thing about it
ya está exagerando	she's off again (exaggerating)
se desorienta completamente	she completely loses control
a propósito	incidentally
en el fondo	at heart
tenía razón sobrada de estar . . .	he was more than justified in being . . .
se mete a organizarlo todo	he takes on the job of fixing everything up
es un tío simpático	he's a nice chap
fíjense qué medicina me ha traído	just look at the medicine he's brought me
hay que tomar una copa cuando a uno le dé la gana	one should have a drink whenever one feels like it

NOTAS

1 ***pero no lo es:*** ***but he isn't***

The pronoun **lo** is used in front of **ser** and **estar** to avoid repeating an adjective or noun already stated.

Parece español pero no lo es	He looks Spanish but he isn't
Para dar la impresión de que no lo es	To give the impression that he isn't
Pedro está cansado pero yo no lo estoy	Pedro is tired but I'm not

2 *Diminutives*

Note the following:

Señora	Lady	**Señorita**	Young lady
Juan	John	**Juanito**	Johnny

i **-ito** and **-ita** can be added to a word to express the idea of smallness, but these endings can also be used to imply that the quality expressed by a word is in some way reduced:

casa	house	**casita**	little house
mesa	table	**mesita**	small table (e.g. for telephone)
caja	box	**cajita**	small box
momento	moment	**momentito**	just a moment
rato	while	**ratito**	a short while
fresco	chilly	**fresquito**	rather chilly
un poco	a little	**un poquito**	a very little

ii Spanish has a wide variety of diminutive endings. Here are some more examples:

-cito:	**coche**	car	**cochecito**	small car
-illo:	**cigarro**	cigar	**cigarrillo**	cigarette

iii Some Spanish words have passed straight into English in their diminutive forms:

guerrilla	(from **guerra** – war)
mantilla	(from **manto** – cloak)
flotilla	(from **flota** – fleet)
mosquito	(from **mosca** – fly)

Note also: **estar malo** to be ill
estar malucho to be out of sorts

3 *demasiado* + *adjective . . . para* + *infinitive*

Note the following examples:

Estoy demasiado cansado para discutir	I'm too tired to argue
No eres demasiado viejo para aprender	You're not too old to learn
Estoy demasiado enfermo para aguantar a ese pelmazo	I'm too ill to put up with that bore

4 *ser and estar with adjectives*

A number of adjectives have different meanings depending on whether they are used with **ser** or **estar**:

with **ser**		with **estar**	
aburrido	boring	**aburrido**	bored
cansado	tiresome	**cansado**	tired
divertido	amusing	**divertido**	amused
guapa	pretty	**guapa**	looking pretty (now)
listo	clever	**listo**	ready
malo	bad	**malo**	ill
nuevo	new	**nuevo**	unused
pobre	poor	**pobre**	broke (temporarily)
rico	rich, wealthy	**rico**	rich (temporarily)

5 ***Idioms***

a basta de discusión, that's enough arguing
b como de costumbre, as usual
c echar una cana al aire, to let one's hair down, let oneself go
d hacer una faena a alguien, to play a dirty trick on someone
e sin parar, without stopping. Notice that while English uses without . . . ing, Spanish says **sin** . . . + infinitive.
no se puede vivir sin comer, one can't live without eating

EJERCICIOS

I Is he/it . . . ?	He/it looks/looked . . . but he/it isn't / wasn't
1 ¿Está **enfadado**?	No, parece **enfadado,** pero no lo está.
2 cansado	....
3 ¿Estaba aburrido?	....
4 enfermo	....
5 ¿Es barato?	....
6 caro	....
7 ¿Era difícil?	....
8 fácil	....

II He doesn't want/can't . . .	He is too old/tired to . . . (it).
1 No quiere **jugar.**	Es demasiado viejo para **jugar.**
2 correr	....
3 andar	....
4 trabajar	....
5 No puede leer.	Está demasiado **cansado** para leer.
6 subirlo	....
7 hacerlo	....
8 escribir	....

III Is (the) . . . . ?	On the contrary, it/she/he is very . . .
1 ¿Es **difícil** el **español**?	Al contrario, es muy **fácil.**
2 ¿Es buena la cerveza?	....
3 ¿Es grande la casa?	....
4 ¿Es caro el bolso?	....
5 ¿Es pobre tu hermano?	....
6 ¿Es guapa Juanita?	....
7 ¿Es simpática María?	....
8 ¿Es aburrido Molina?	....
9 ¿Es largo el viaje?	....
10 ¿Es tarde?	....

IV . . . ?/!	You know I don't like . . .
1 ¡Vamos a la **playa**!	Usted sabe que a mí no me gusta la playa.
2 ¿Quiere unas galletas?	. . . . gustan las . . . .
3 ¡Tome un coñac!	. . . .
4 ¡Compre unos cigarros!	. . . .
5 ¿Quiere ir a los toros?	. . . .
6 ¿Bailamos el twist?	. . . .
7 ¿Ponemos la televisión?	. . . .
8 ¿Quiere unas tapas?	. . . .

V Why do you . . . ?	Because if I didn't . . . it, my wife would get angry.
1 ¿Por qué lo **compras**?	Porque si no lo **comprara**, mi mujer se enfadaría.
2 pagas	. . . .
3 dejas	. . . .
4 vendes	. . . .
5 escribes	. . . .
6 traes	. . . .
7 dices	. . . .
8 haces	. . . .

20 Carta de Inglaterra

Casa de los Díez a la hora del desayuno. El cartero acaba de pasar.

Sra. Díez ¡José! Levántate en seguida y ven a tomarte el café. Mira, hay una carta de Inglaterra. Debe de ser de tu sobrina Anita.

Sr. Díez Abrela y léela en voz alta, ¿quieres? A ver qué dice.

Sra. Díez "Querido tío José: sólo unas líneas para decirte que llegaré a Madrid el domingo 25 a las 11.30 de la mañana, en el vuelo IB-204. Me alegraría mucho que vinieras a recibirme a Barajas . . ."

Sr. Díez Menos mal que es domingo y no tendré nada que hacer.

Sra. Díez Escucha, José: "Lo estoy pasando muy bien estos últimos días en Londres. La familia con quien estoy "au pair" es encantadora y me tratan a cuerpo de rey. Me han dado unos cuantos días libres para que pueda hacer todas mis compras antes de volverme a España. Discúlpame que no te escriba más largo pero estoy muy ocupada. ¡Tengo tantísimas cosas que hacer todavía! Bueno, tengo muchas ganas de volver a Madrid. Besos para todos. Anita."

Sr. Díez Entonces, está decidido. Iremos a recibirla al aeropuerto.

Sra. Díez Si no fuera tu sobrina preferida, no te molestarías en ir al aeropuerto. Te quedarías en la cama hasta las tantas, como sueles hacer todos los domingos.

Sr. Díez ¡Cómo te gusta tomarme el pelo! Anda, mujer, dame más café. ¡Qué

20 suerte tiene la juventud de hoy! Hacen lo que quieren, van adonde quieren, aprenden idiomas, se divierten . . . Yo he estado toda mi vida intentando aprender inglés y hasta ahora no sé decir más que *please* y *thank you.*

Sra. Díez Calla, hombre. Sabes decir otras cosas, como *whiskey and soda.* Además, si no aprendes inglés es porque no quieres. Siempre estás diciendo que 25 vas a estudiar de lo lindo y cuando llega la hora, mucho ruido y pocas nueces. Mira la señora de Ruíz como habla inglés perfectamente.

Sr. Díez ¡Ah, bueno! Ella nació en Inglaterra. Si yo hubiera nacido en Inglaterra, no tendría todos estos líos con el inglés.

Sra. Díez Pero, ahora tendrías la mar de problemas porque tendrías que aprender 30 el español.

Sr. Díez Pero, mujer, no compares. El español es muchísimo más sencillo que el inglés.

Sra. Díez Los ingleses que tienen que aprenderlo no dirían que es tan fácil. Cuando llegue Anita de Londres podrá darte lecciones de inglés todos los días. 35 Ahora no tienes disculpa que valga.

En el Aeropuerto de Barajas, días más tarde

Aduanero ¿Tiene usted algo que declarar?

Anita No, creo que no. Bueno . . ., tengo unos regalos para mis tíos y otras cosillas.

Aduanero Pero ¿todo este equipaje es suyo? ¡Tantas maletas! ¿Y aquella bolsa 40 también es suya?

Anita Pues, claro. He estado tantos meses en Inglaterra que he tenido que comprarme ropa de abrigo y otras cosas de uso personal.

Aduanero Bien, ¿me hace usted el favor de abrir esta maleta? (*Registra dentro de la maleta.*) Está bien. ¡Ah! ¿Qué es esto? ¡Una botella de whiskey! No 45 tendrá usted más botellas en las otras maletas, ¿verdad?

Anita No, solamente tengo una. Es un regalo que le he traído a un tío mío que es muy aficionado al whiskey.

Aduanero Bueno, si esto es todo, puede cerrar su maleta. Muchas gracias, señorita. (*Mientras tanto los Díez esperan en la sala de recepción.*)

50 *Sra. Díez* Pero, ¡cómo tarda esta chica! El avión aterrizó hace más de media hora y todavía no hemos visto a Anita. ¿Qué le habrá pasado?

Sr. Díez Paciencia, mujer. Ya vendrá. Mírala, ahí está. ¡Anita! ¡Anita!

Anita Hola, tío José. Siento mucho haberte hecho esperar. Hola, tía María.

Sra. Díez Pero, ¡qué guapa estás! Parece que Inglaterra te ha sentado divinamente. 55 ¿Y cómo has llegado tan tarde?

Anita Es que el avión despegó con una hora de retraso, a causa de la niebla.

Sr. Díez ¿No te lo dije, María? Siempre hay niebla en Londres.

Anita No, eso no es verdad. En cinco meses que he vivido en Londres no hemos tenido ni un solo día de niebla.

60 *Sra. Díez* Bueno, ¿qué tal el viaje?

Anita Tuvimos un vuelo estupendo. Yo estuve todo el tiempo hablando con un chico inglés muy simpático que me ha invitado a salir con él la semana que viene.

Sr. Díez Tú siempre haciendo conquistas. Bueno, vamos a casa. Tu tía ha preparado 65 una merluza a la madrileña que va a sabernos a gloria.

Anita ¡Qué idea has tenido, tía! ¡Merluza a la madrileña! No podías haberme dado una bienvenida mejor. Vamos corriendo.

NUEVAS EXPRESIONES

me tratan a cuerpo de rey	they treat me like a king
Discúlpame que no te escriba más largo	Excuse me for not writing at greater length
Te quedarías en la cama hasta las tantas	You'd stay in bed until Heaven knows when
Calla, hombre	Don't be ridiculous!
estudiar de lo lindo	to really get stuck in
cuando llega la hora	when the time comes
mucho ruido y pocas nueces	you talk a lot and nothing ever comes of it
no tendría todos estos líos	I wouldn't have all this bother
la mar de problemas	an awful lot of problems
no tienes disculpa que valga	You've no valid excuse
y otras cosillas	and a few other little odds and ends
cosas de uso personal	things for my own use
¡Cómo tarda esta chica!	What a time this girl takes!
Siento haberte hecho esperar	I'm sorry I've kept you waiting
te ha sentado divinamente	it has done you an awful lot of good
despegó con una hora de retraso	it took off an hour late
Tú siempre haciendo conquistas	You are always stealing hearts
merluza a la madrileña	hake Madrid style
va a sabernos a gloria	we really are going to enjoy it (lit. it's going to taste heavenly)

EJERCICIOS DE REVISIÓN

I When do you want to . . . (it)? But I have . . . (it) this morning!

1	¿Cuándo quiere usted **llamar**?	¡Pero si he **llamado** esta mañana!
2	leerlo	. . . .
3	hacerlo	. . . .
4	decirlo	. . . .
5	escribirlo	. . . .
6	abrirlo	. . . .
7	verlo	. . . .
8	resolverlo	. . . .

II He said he was going to . . . it. Do you think he'll . . . it? I wouldn't.

1	Dijo que iba a **pagarlo.**	¿Cree usted que lo **pagará**? Yo no **lo pagaría.**
2	traerlo	. . . .
3	hacerlo	. . . .
4	verlo	. . . .
5	escribirlo	. . . .
6	llamarlo	. . . .
7	abrirlo	. . . .
8	firmarlo	. . . .

III I want to . . . it to/for Juan.	No, don't . . . it to/for him yet!
1 Quiero **llevárselo** a Juan	No, no se lo **lleve** todavía.
2 comprárselo	....
3 decírselo	....
4 hacérselo	....
5 traérselo	....
6 pedírselo	....
7 dejárselo	....
8 vendérselo	....

IV Should I . . . the . . . today?	No, it'd be better if you'd . . . it/them tomorrow.
1 ¿**Pago** la **cuenta** hoy?	No, será mejor que **la pague** mañana.
2 Firmo el contrato	....
3 Saco las entradas	....
4 Hago los encargos	....
5 Reservo el billete	....
6 Compro los libros	....
7 Escribo la carta	....
8 Envío las maletas	....

V Was it very . . . ?	At least, it turned out . . . for me.
1 ¿Fue muy **interesante**?	Por lo menos, a mí me resultó **interesante.**
2 aburrido	....
3 divertido	....
4 fácil	....
5 desagradable	....
6 difícil	....
7 complicado	....
8 agradable	....

VI Did you . . . (it)?	If I had . . . (it), I would have told you.
1 ¿Usted **estuvo**?	Si hubiera **estado,** se lo habría dicho.
2 asistió	....
3 llamó	....
4 lo compró	....
5 lo hizo	....
6 lo trajo	....
7 lo vendió	....
8 lo avisó	....

Key

Lesson 1

I. 1. Sí, acabo ahora 2. ceno 3. lo compro 4. lo dejo 5. lo llevo 6. empiezo 7. entro

II. 1. Sí, acabamos ahora 2. cenamos 3. los compramos 4. los dejamos 5. los llevamos 6. empezamos 7. entramos

III. 1. Sí, acabe en seguida 2. cene 3. entre 4. empiece 5. cómprelo 6. déjelo 7. llévelo 8. mírelo

IV. 1. Sí, acaben en seguida 2. cenen 3. entren 4. empiecen 5. cómprenlo 6. déjenlo 7. llévenlo 8. mírenlo

V. 1. No, no como 2. no bebo 3. no asisto 4. no vuelvo 5. no puedo 6. no quiero

VI. 1. No, hágalo mañana 2. tráigalo 3. véalo 4. dígalo 5. escríbalo 6. póngalo

VII. 1. Sí, hoy me viene bien 2. mañana 3. pasado mañana 4. esta noche 5. la semana que viene 6. más tarde 7. ahora 8. a las dos

Lesson 2

I. 1. Sí, he cenado 2. he acabado 3. he empezado 4. lo he comprado 5. lo he dejado 6. lo he llevado 7. lo he guisado

II. 1. Sí, hemos cenado 2. hemos acabado 3. hemos empezado 4. hemos entrado 5. lo hemos comprado 6. lo hemos dejado 7. lo hemos llevado 8. lo hemos guisado

III. 1. Sí, hemos asistido 2. hemos podido 3. hemos vuelto 4. hemos ido 5. lo hemos traído 6. lo hemos recibido 7. lo hemos tenido 8. lo hemos hecho 9. lo hemos visto 10. lo hemos dicho

IV. 1. Sí, quieren eso mismo 2. vienen hoy mismo 3. está aquí mismo 4. vive ahí mismo 5. se va ahora mismo 6. dice eso mismo 7. llegan hoy mismo 8. cenan aquí mismo

V. 1. No hace falta llamarlo en seguida 2. hacerlo 3. comprarlo 4. decírselo 5. dárselo 6. llevarlo 7. pagarlo 8. bajarlo 9. subirlo 10. recogerlo

VI. 1. Sí, le faltan dos por lo menos 2. ocho 3. siete 4. quince 5. cuatro 6. cinco 7. nueve 8. tres

Lesson 3

I. 1. Sí, será mejor que entre 2. empiece 3. estudie 4. llame 5. pague 6. lo compre 7. lo acabe 8. lo deje 9. lo tome 10. lo cierre

II. 1. Sí, será mejor que salga 2. suba 3. venga 4. asista 5. lo haga 6. lo diga 7. lo traiga 8. lo pida

III. 1. Sí, me voy inmediatamente 2. en seguida 3. ahora mismo 4. a las dos en punto 5. mañana 6. antes de las seis 7. esta noche 8. esta semana

IV. 1. Sí, quiero que me lo suba ahora 2. traiga 3. haga 4. sirva 5. aparque 6. deje 7. arregle 8. asegure

V. 1. Sí, mi mujer quiere que volvamos 2. asistamos 3. subamos 4. salgamos 5. vayamos 6. bajemos 7. empecemos 8. entremos 9. paguemos 10. llamemos

VI. 1. A lo mejor lo tiene el mozo 2. aparcó 3. bajó 4. cerró 5. controló 6. dijo 7. dejó 8. encontró

Lesson 4

I. 1. Se ve que no ha podido pagar 2. aparcar 3. bajar 4. empezar 5. entrar 6. llamar 7. venir 8. salir 9. subir 10. ir

II. 1. Sí, claro que está asegurado 2. cerrado 3. aparcado 4. arreglado 5. fijada 6. pagada 7. hecha 8. vendida

III. 1. No, no me han prestado nada 2. encontrado 3. arreglado 4. dejado 5. hecho 6. bajado 7. pagado 8. pedido 9. preguntado 10. traído

IV. 1. No creo que haya nada roto 2. allí 3. aquí 4. detrás 5. dentro 6. en la maleta 7. seguro 8. fuera

V. 1. Hasta mañana no. Acaban de hacerlo 2. salir 3. verlo 4. visitarnos 5. ir ahí 6. llamar 7. pedirlo 8. tomarlo

VI. 1. Me parece mejor que lo haga Vd. 2. lo traiga 3. lo explique 4. lo recoja 5. lo lleve 6. vaya 7. empiece 8. guise 9. llame 10. pague

Lesson 5

I. 1. No, no la pagué yo. La pagaron ellos. 2. no la cerré . . . cerraron 3. no la preparé . . . prepararon 4. no la reservé . . . reservaron 5. no la dejé . . . dejaron 6. no la perdí . . . perdieron 7. no la recibí . . . recibieron 8. no la vendí . . . vendieron 9. no la vi . . . vieron 10. no la escribí . . . escribieron

II. 1. No compramos nada 2. pagamos 3. tardamos 4. encontramos 5. cogimos 6. perdimos 7. vendimos 8. escribimos

III. 1. No, no conduje 2. vine 3. estuve 4. pude 5. dije 6. traje 7. hice 8. tuve

IV. 1. Sí, era muy temprano 2. divertido 3. barato 4. bueno 5. fácil 6. difícil 7. aburrido 8. caro

V. 1. Quería hacerlo pero ya no quiere 2. Podía . . . puede 3. Sabía . . . sabe 4. Trabajaba . . . trabaja 5. Vivía . . . vive 6. Fumaba . . . fuma 7. bebía . . . bebe 8. Viajaba . . . viaja

VI. 1. Dijo que lo había pagado ayer 2. había contado 3. había arreglado 4. había hecho 5. había traído 6. habían abierto 7. habían recibido 8. habían descubierto 9. habían perdido 10. habían encontrado

Lesson 6

I. 1. Nos costó muchísimo 2. gustó 3. interesó 4. aburrió 5. faltó 6. importó 7. molestó 8. preocupó

II. 1. Sí, es riquísimo 2. malísima 3. buenísimo 4. carísima 5. pesadísimo 6. baratísima 7. facilísimo 8. dificilísima

III. 1. Claro que no se lo hago 2. llevo 3. traigo 4. subo 5. abro 6. vendo 7. bajo 8. compro 9. dejo 10. aparco

IV. 1. No, no tengo nada que hacer 2. cobrar 3. decir 4. comprar 5. recoger 6. pagar 7. explicar 8. llevar 9. pedir 10. preguntar

V. 1. Sí, ya lo habían hecho cuando llegué 2. visto 3. abierto 4. cerrado 5. empezado 6. perdido 7. preparado 8. quitado 9. robado

VI. 1. No, voy a hacerlo la semana que viene 2. traerlo 3. celebrarlo 4. empezarlo 5. abrirlo 6. verlo 7. no, lo hice la semana pasada 8. lo busqué 9. lo escribí 10. lo estudié 11. lo firmé 12. lo pedí

Lesson 7

I. 1. ¿No lo pidió? ¡Qué lata! 2. ¿No lo advirtió? ¿3. No lo siguió? 4. ¿No lo sintió? 5. ¿No lo cogió? 6. ¿No lo vio? 7. ¿No lo leyó? 8. ¿No lo oyó?

II. 1. ¿Qué le voy a hacer? Hace falta pagarlo. 2. aguantarlo 3. analizarlo 4. estudiarlo 5. guardarlo 6. llevarlo 7. organizarlo 8. terminarlo

III. 1. Seguro que se mejora antes de mañana. 2. se anima 3. se acuerda 4. se alegra 5. se presenta 6. se queja

IV. 1. Sí, se ha puesto muy enfermo 2. aburrido 3. enfadado 4. furioso 5. grave 6. impaciente

V. 1. Porque Juan se empeña en que vaya a verlo 2. ayudarlo 3. esperarlo 4. invitarlo 5. buscarlo 6. llevarlo 7. llamarlo 8. terminarlo 9. traerlo 10. comprarlo

VI. 1. Yo no aguanto el congreso ese 2. el discurso ese 3. el hotel ese 4. el bar ese 5. la discusión esa 6. la sesión esa 7. la pensión esa 8. la estación esa

Lesson 8

I. 1. No, no quiero trabajar hoy, sino mañana 2. escribir 3. venir 4. ir 5. llamarlo 6. traerlo 7. analizarlo 8. encargarlo

II. 1. Me duele mucho que Vd. no venga 2. salga 3. pueda 4. quiera 5. asista 6. lo diga 7. lo venda 8. lo invite 9. lo perdone 10. lo deje

III. 1. No sé. Quizá no pueda venir 2. trabajar 3. escribir 4. asistir 5. mandarlo 6. buscarlo 7. terminarlo 8. llamarnos 9. invitarnos 10. avisarnos

IV. 1. No sé; se han comprado tantas cosas hoy 2. se han organizado 3. se han encontrado 4. se han hecho 5. se han discutido 6. se han pedido 7. se han contado 8. se han dicho

V. 1. Sí, pero ¡qué manera de hacerlo! 2. abrirlo 3. cerrarlo 4. guisarlo 5. pedirlo 6. bajar 7. entrar 8. quejarse

VI. Sí, pero ¡qué discurso más pesado! 2. pesada 3. pesado 4. pesada 5. pesado 6. pesada 7. pesado 8. pesado 9. pesado 10. pesada

Lesson 9

I. 1. Lo pagaré mañana 2. lo leeré 3. lo veré 4. lo recogeré 5. lo empezaré 6. lo estudiaré 7. lo controlaré 8. lo pediré 9. lo probaré 10. lo oiré

II. 1. Sí, vendrán todos 2. estarán 3. cabrán 4. irán 5. lo harán 6. lo verán 7. lo tendrán 8. lo visitarán 9. lo buscarán 10. lo invitarán

III. 1. No, no estará trabajando, está fuera 2. estudiando 3. haciéndolo 4. terminándolo 5. arreglándolo 6. organizándolo 7. escribiéndolo 8. esperándonos 9. buscándonos 10. ayudándonos

IV. 1. No, no lo habrá terminado todavía 2. visto 3. hecho 4. resuelto 5. recibido 6. arreglado 7. vendido 8. cobrado 9. escrito 10. controlado

V. 1. Llegarán dentro de poco 2. saldrán 3. volverán 4. llamarán 5. cenarán 6. se levantarán 7. se marcharán 8. se acostarán 9. se bañarán 10. se despertarán

VI. 1. No, lo haré cuando Vd. vuelva 2. lo mandaré 3. lo compraré 4. lo diré 5. lo arreglaré 6. lo resolveré 7. lo cobraré 8. lo escribiré 9. lo organizaré

Lesson 10

I. 1. Sí, lo haremos en cuanto llegue Morales 2. lo veremos 3. lo empezaremos 4. lo explicaremos 5. lo resolveremos 6. lo abriremos 7. lo leeremos 8. lo llamaremos 9. lo pediremos 10. lo acabaremos

II. 1. No, le avisaré cuando termine 2. entre 3. llegue 4. pague 5. salga 6. venga 7. lo traiga 8. lo vea 9. lo escriba 10. lo diga

III. 1. Sí, ya lo tengo resuelto 2. la tengo organizada 3. lo tengo terminado 4. la tengo vista 5. lo tengo leído 6. la tengo escrita 7. lo tengo comprobado 8. la tengo hecha

IV. 1. No, no me apetece hacer una excursión 2. llevar a los niños 3. visitar el castillo 4. conducir 5. entrar 6. salir 7. bailar 8. probarlo 9. leerlo 10. aceptarlo

V. 1. Sí, déselo por favor 2. désela 3. dígaselo 4. dígasela 5. traígaselo 6. traígasela 7. cómpreselo 8. cómpresela 9. lléveselo 10. llévesela

VI. 1. Todos decían que estaba pesadísimo 2. enfermísima 3. enfadadísimo 4. contentísima 5. divertidísimo 6. aburridísima 7. simpatiquísimo 8. antipatiquísimo

Lesson 11

I. Sí, podríamos llevarlos 2. llamarlos 3. cobrarlos 4. invitarlos 5. visitarlos 6. pararlos 7. terminarlos 8. comprarlos 9. arreglarlos 10. preguntarlos

II. 1. Dijo que vendría 2. volvería 3. saldría 4. pagaría 5. lo haría 6. lo traería 7. lo diría 8. lo resolvería 9. lo habría comprado 10. lo habría terminado

III. 1. Si yo fuera Vd. no lo haría 2. no lo diría 3. no lo traería 4. no lo sacaría 5. no lo compraría 6. no lo discutiría 7. no lo leería 8. no lo vendería 9. no lo esperaría 10. no lo prometería

IV. 1. No, tenemos tiempo de sobra 2. dinero 3. vino 4. gasolina 5. aceite 6. tenedores 7. cuchillos 8. cucharas 9. platos 10. vasos

V. 1. Menos mal. Yo no iría tampoco 2. no saldría 3. no podría 4. no pagaría

5. no asistiría 6. no lo haría 7. no lo leería 8. no lo esperaría 9. no lo discutiría 10. no lo estorbaría

VI. 1. No sé, está por hacer todavía 2. pagar 3. terminar 4. empezar 5. arreglar 6. organizar 7. discutir 8. resolver 9. explicar 10. establecer

Lesson 12

I. 1. No, sigue sin llegar 2. escribir 3. llamar 4. avisar 5. hablar 6. terminarlo 7. hacerlo 8. empezarlo 9. enviarlo 10. decirlo

II. 1. No, todo el mundo sabe que lo he hecho yo 2. lo he terminado yo 3. lo he visto yo 4. lo he organizado yo 5. lo he decidido yo 6. lo he enviado yo 7. lo he firmado yo 8. lo he dicho yo

III. 1. No sé. Quizá haya dejado algo 2. visto 3. organizado 4. dicho 5. escrito 6. firmado 7. comprado 8. decidido 9. pagado 10. recibido

IV. 1. Aquí no hay ni un teléfono 2. una caja 3. un sombrero 4. una maleta 5. un abrigo 6. una carta 7. un sobre 8. una botella

V. 1. Pues debería comer lo antes posible 2. ir 3. llamar 4. firmar 5. preguntar 6. hacerlo 7. enviarlo 8. comprarlo 9. reservarlo 10. organizarlo

VI. 1. En ese caso, María se ofrecerá a hacerlo 2. mandarlo 3. leerlo 4. decirlo 5. verlo 6. analizarlo 7. arreglarlo 8. buscarlo 9. encontrarlo 10. recogerlo

Lesson 13

I. 1. No, Juan me dijo que no lo abriera 2. hiciera 3. pidiera 4. ofreciera 5. reservara 6. sacara 7. leyera 8. llevara 9. bajara 10. vendiera

II. 1. No, y no estaría bien que lo vieran 2. hicieran 3. trajeran 4. dijeran 5. supieran 6. contaran 7. llamaran 8. arreglaran 9. firmaran 10. reservaran

III. 1. Sí, pero tuve que esperar para que llamara 2. viniera 3. volviera 4. entrara 5. lo abriera 6. lo hiciera 7. lo trajera 8. lo terminara 9. lo arreglara 10. lo firmara

IV. 1. Hombre, si no fuera imposible, lo haría yo 2. costoso 3. difícil 4. aburrido 5. inútil 6. complicado 7. una lata

V. 1. Entraría si tuviera tiempo 2. volvería 3. asistiría 4. lo vería 5. lo haría 6. lo miraría 7. iría de compras 8. iría de vacaciones 9. iría a pescar

VI. 1. Si no recuerdo mal, lo vi el año pasado 2. lo leí 3. vine por aquí 4. hablé con él 5. paré en este hotel 6. cené en este restaurante 7. fui de vacaciones 8. fui de caza

Lesson 14

I. 1. No se preocupe, no se me olvidará 2. romperá 3. caerá 4. perderá 5. abrirá 6. parará

II. 1. Nos gustaría muchísimo que Vds. lo aceptaran 2. aprovecharan 3. invitaran 4. llamaran 5. usaran 6. cambiaran 7. tomaran 8. terminaran

III. 1. Pero si hubiera tiempo, sería una idea genial 2. caza 3. playas 4. pesca 5. dinero 6. si no hubiera tantos turistas 7. tanta gente 8. tan poco tiempo 9. demasiados turistas 10. demasiada gente

IV. 1. Sí, me resultó muy interesante 2. fácil 3. difícil 4. aburrido 5. agradable 6. complicado

V. 1. ¡Qué va a importarme! 2. estorbarme 3. molestarme 4. interesarme 5. aburrirme 6. desagradarme

VI. 1. No, sería mejor que lo dejáramos en otro sitio 2. lo compráramos 3. lo buscáramos 4. cenáramos 5. habláramos 6. lo discutiéramos 7. lo abriéramos 8. comiéramos

Lesson 15

I. 1. Sí, pero ¿lo crees tú? No, no lo creo. 2. ¿lo quieres tú? . . . no lo quiero 3. ¿lo has visto tú? . . . no lo he visto 4. ¿lo has firmado tú? . . . no lo he firmado 5. ¿lo decías tú? . . . no lo decía 6. ¿lo llevabas tú? . . . no lo llevaba 7. ¿vendrás tú? . . . no vendré 8. ¿volverás tú? . . . no volveré

II. 1. Porque tú no pagaste 2. entraste 3. hablaste 4. lo compraste 5. viniste 6. saliste 7. comiste 8. lo dijiste

III. 1. No, no lo hagas 2. no lo digas 3. no lo traigas 4. no lo pidas 5. no lo bebas 6. no lo compres 7. no lo dejes 8. no lo firmes 9. no lo llames 10. no lo lleves

IV. 1. Mejor dicho, no quieres hacerlo 2. ayudarle 3. venir mañana 4. asistir a la reunión 5. llegar temprano 6. pagar la cuenta 7. ir de compras 8. llamar a Díez

V. 1. ¿No sería mejor que la pagaras otro día? 2. lo alquilaras 3. las sacaras 4. lo firmaras 5. los leyeras 6. la vieras 7. las escribieras 8. los hicieras 9. lo reservaras 10. la trajeras

VI. 1. No, el mío está en la mesa con el tuyo 2. el mío está . . . con el tuyo 3, 4. la mía está . . . con la tuya 5, 6. los míos están . . . con los tuyos 7, 8. las mías están . . . con las tuyas

Lesson 16

I. 1. Por largo que sea, tiene usted que terminarlo 2. pesado 3. malo 4. aburrido 5. desagradable 6. difícil

II. 1. No, no lo ha hecho, lo cual no me extraña 2. traído 3. terminado 4. comprado 5. pagado 6. arreglado 7. escrito

III. (*a*) 1. Suelo almorzar temprano 2. estar en casa 3. venir por aquí 4. acostarme 5. levantarme 6. marcharme (*b*) 1. Solía trabajar mucho cuando era más joven 2. beber 3. viajar 4. pescar 5. cazar

IV. 1. No, dice que llegará entre las dos y media y las tres 2. entrará entre las seis y media y las siete 3. llamará entre las diez y media y las once 4. terminará entre la una y media y las dos 5. se marchará entre las cuatro y media y las cinco 6. comerá entre las nueve y media y las diez 7. vendrá entre las once y media y las doce 8. saldrá entre las dos y media y las tres

V. 1. Sí, Díez me hizo venir para que lo arreglara 2. firmara 3. comprara 4. buscara 5. alquilara 6. viera 7. escribiera 8. eligiera 9. pidiera 10. abriera

VI. 1. Lo haría aunque no me ayudaran 2. pagaran 3. acompañaran 4. llamaran 5. llevaran 6. escribieran 7. lo pidieran 8. lo prometieran 9. permitieran 10. prohibieran

Lesson 17

I. 1. Sí, llevo una hora esperando 2. trabajando 3. buscando 4. estudiando 5. llamando 6. conduciendo 7. escribiendo 8. leyendo

II. 1. Hombre, sería una locura que lo hiciera 2. vendiera 3. dijera 4. abriera 5. comprara 6. alquilara 7. reservara 8. pagara

III. 1. Póngalo donde quiera 2. hágalo cuando quiera 3. ábralo como quiera 4. búsquelo donde quiera 5. tráigalo cuando quiera 6. ciérrelo como quiera 7. llámelo cuando quiera 8. fírmelo donde quiera 9. haga lo que quiera 10. beba lo que quiera

IV. 1. Sí, se lo di anteayer 2. lo 3. la 4. la 5. los 6. los 7. las 8. las

V. 1. Me parece bien con tal que se lo diga mañana 2. pida 3. traiga 4. venda 5. dé 6. cuente 7. recuerde 8. reserve

VI. 1. Sirve para abrir latas 2. para lavar platos 3. para sacar corchos 4. para escribir 5. para beber 6. para comer 7. para sentarse

Lesson 18

I. 1. No logré comprarlo. Lo compraré mañana 2. firmarlo . . . firmaré 3. encontrarlo . . . encontraré 4. terminarlo . . . terminaré 5. leerlo . . . leeré 6. venderlo . . . venderé 7. escribirlo . . . escribiré 8. hacerlo . . . haré

II. 1. No, pero nos trata como si nos conociera 2. ayudara 3. pagara 4. invitara 5. envidiara 6. importara 7. acusara 8. debiera dinero

III. 1. Sí, es más caro de lo que parece 2. importante 3. larga 4. fácil 5. fuerte 6. impaciente 7. rica 8. vieja

IV. 1. No, dijo que no llegaría hasta el martes 2. llamaría . . . sábado 3. escribiría . . . jueves 4. vendría . . . domingo 5. saldría . . . lunes 6. se marcharía . . . miércoles 7. volvería . . . viernes

V. 1. Me lo dejé en la mesa antes de salir 2. lo 3. la 4. la 5. los 6. los 7. las 8. las

VI. 1. No estoy tan seguro de que lo hiciera tan bien 2. estuviera tan contento 3. llegara tan preocupado 4. escribiera tan frecuentamente 5. fuera tan amable 6.fuera tan de prisa 7. subiera tan despacio 8. entrara tan cansado

Lesson 19

I. 1. No, parece enfadado pero no lo está 2. cansado 3. parecía aburrido . . . estaba 4. enfermo 5. parece barato . . . es 6. caro 7. parecía difícil . . . era 8. fácil

II. 1. Es demasiado viejo para jugar 2. correr 3. andar 4. trabajar 5. está demasiado cansado para leer 6. subirlo 7. hacerlo 8. escribir

III. 1. Al contrario, es muy fácil 2. mala 3. pequeña 4. barato 5. rico 6. fea 7. antipática 8. divertido 9. corto 10. temprano

IV. 1. Usted sabe que a mí no me gusta la playa 2. gustan las galletas 3. gusta el coñac 4. gustan los cigarros 5. gustan los toros 6. gusta el twist 7. gusta la televisión 8. gustan las tapas

V. 1. Porque si no lo comprara, mi mujer se enfadaría 2. pagara 3. dejara 4. vendiera 5. escribiera 6. trajera 7. dijera 8. hiciera

Lesson 20

I. 1. ¡Pero si he llamado esta mañana! 2. lo he leído 3. lo he hecho 4. lo he dicho 5. lo he escrito 6. lo he abierto 7. lo he visto 8. lo he resuelto

II. 1. ¿Cree Vd. que lo pagará? Yo no lo pagaría 2. traerá . . . traería 3. hará . . . haría 4. verá . . . vería 5. escribirá . . . escribiría 6. llamará . . . llamaría 7. abrirá . . . abriría 8. firmará . . . firmaría

III. 1. No, no se lo lleve todavía 2. compre 3. diga 4. haga 5. traiga 6. pida 7. deje 8. venda

IV. 1. No, será mejor que la pague mañana 2. lo firme 3. las saque 4. los haga 5. lo reserve 6. los compre 7. la escriba 8. las envíe

V. 1. Por lo menos, a mí me resultó interesante 2. aburrido 3. divertido 4. fácil 5. desagradable 6. difícil 7. complicado 8. agradable

VI. 1. Si hubiera estado, se lo habría dicho 2. asistido 3. llamado 4. comprado 5. hecho 6. traído 7. vendido 8. avisado

Grammar Synopsis

I PRONOUNS

1 *Subject*

yo	tú	Vd. él, ella	nosotros, nosotras	Vds. ellos, ellas

2 *Object*

Juan	(no)	me te le lo, la nos les los, las se	paró.

3 *With Imperatives*

	AFFIRMATIVES		NEGATIVES	
Págue-	-me -le -lo, la -nos -les -los, las	No	me le lo, la nos les los, las	pague.

4 *Disjunctive*

Lo	hizo	para	mí ti Vd. él, ella nosotros, nosotras Vds. ellos, ellas

NOTE: This form is used with all prepositions, but *con–mí* gives *conmigo*. / *con-ti* gives *contigo*

II ADJECTIVES

	SINGULAR		PLURAL	
	Masculine	Feminine	Masculine	Feminine
(i)	nuevo	nueva	nuevos	nuevas
(ii)	inglés	inglesa	ingleses	inglesas
(iii)	fácil		fáciles	
(iv)	urgente		urgentes	

(i) Like *nuevo* are all adjectives ending in *-o*, indicated in the glossary as *nuevo*, *-a*.
(ii) Like *inglés* are all adjectives of nationality that end in a consonant.
(iii) Like *fácil* are most other adjectives ending in a consonant.
(iv) Like *urgente* are most other adjectives ending in *-e*.

III ARTICLES, DEMONSTRATIVES AND POSSESSIVES

	SINGULAR			PLURAL	
	Masculine	Feminine	Neutral	Masculine	Feminine
ARTICLES	el un	la una	lo	los unos	las unas
DEMONSTRATIVE ADJECTIVES	este ese aquel	esta esa aquella		estos esos aquellos	estas esas aquellas
DEMONSTRATIVE PRONOUNS	éste ése aquél	ésta ésa aquélla	esto eso aquello	éstos ésos aquéllos	éstas ésas aquéllas
POSSESSIVE ADJECTIVES	mi tu su nuestro	 nuestra		mis tus sus nuestros	 nuestras
POSSESSIVE PRONOUNS	mío tuyo suyo nuestro	mía tuya suya nuestra		míos tuyos suyos nuestros	mías tuyas suyas nuestras

IV NUMBERS

1	un(o), -a	31	treinta y un(o), -a
2	dos	32	treinta y dos
3	tres	40	cuarenta
4	cuatro	41	cuarenta y un(o), -a
5	cinco	43	cuarenta y tres
6	seis	50	cincuenta
7	siete	51	cincuenta y un(o), -a
8	ocho	54	cincuenta y cuatro
9	nueve	60	sesenta
10	diez	61	sesenta y un(o), -a
11	once	65	sesenta y cinco
12	doce	70	setenta
13	trece	71	setenta y un(o), -a
14	catorce	76	setenta y seis
15	quince	80	ochenta
16	dieciséis	81	ochenta y un(o), -a
17	diecisiete	87	ochenta y siete
18	dieciocho	90	noventa
19	diecinueve	91	noventa y un(o), -a
20	veinte	98	noventa y ocho
21	veintiun(o), -a	100	cien(to)
22	veintidós	200	doscientos, -as
23	veintitrés	300	trescientos, -as
24	veinticuatro	400	cuatrocientos, -as
25	veinticinco	500	quinientos, -as
26	veintiséis	600	seiscientos, -as
27	veintisiete	700	setecientos, -as
28	veintiocho	800	ochocientos, -as
29	veintinueve	900	novecientos, -as
30	treinta	1000	mil

V VERBS

a Regular

	PRESENT INDICATIVE	PRESENT SUBJUNCTIVE	PRETERITE	IMPERFECT (2)
tomar	tom**o**	tom**e**	tom**é**	tom**aba**
	tom**as**	tom**es** (1)	tom**aste**	tom**abas**
	tom**a** (1)	tom**e**	tom**ó**	tom**aba**
	tom**amos**	tom**emos**	tom**amos**	tom**ábamos**
	tom**an**	tom**en**	tom**aron**	tom**aban**
comer	com**o**	com**a**	com**í**	com**ía**
	com**es**	com**as** (1)	com**iste**	com**ías**
	com**e** (1)	com**a**	com**ió**	com**ía**
	com**emos**	com**amos**	com**imos**	com**íamos**
	com**en**	com**an**	com**ieron**	com**ían**
vivir	viv**o**	viv**a**	viv**í**	viv**ía**
	viv**es**	viv**as** (1)	viv**iste**	viv**ías**
	viv**e** (1)	viv**a**	viv**ió**	viv**ía**
	viv**imos**	viv**amos**	viv**imos**	viv**íamos**
	viv**en**	viv**an**	viv**ieron**	viv**ían**

NOTES

1 The familiar imperative is the same as the third person singular present indicative (i.e. ¡habla! *talk*! ¡come! *eat*!). The negative imperative is the same as the second person singular present subjunctive (¡no tomes! *don't take*! ¡no comas! *don't eat*!).

2 The imperfect of -AR verbs always follow the **tomar** pattern, and that of -ER and -IR verbs the **comer/vivir** pattern. The imperfect is therefore not listed below. (See exceptions **ser**, **ir**, **ver**.)

3 The conditional of all verbs is made by adding the **-ía** endings to the future stem. There are no exceptions. The conditional is therefore not listed below.

4 There is an alternative ending for all verbs in the imperfect subjunctive:

-AR	tomase,	-ases	-ase	-ásemos	-asen
-ER	comiese	-ieses	-iese	-iésemos	-iesen
-IR	viviese				

5 The following regular verbs have an irregular past participle:
abrir — abierto   romper — roto   escribir — escrito.

FUTURE	CONDITIONAL (3)	IMPERFECT (4) SUBJUNCTIVE	PAST PARTICIPLE (5) .... PRESENT PARTICIPLE
tomar**é**	tomar**ía**	tom**ara**	tom**ado**
tomar**ás**	tomar**ías**	tom**aras**	
tomar**á**	tomar**ía**	tom**ara**	....
tomar**emos**	tomar**íamos**	tom**áramos**	tom**ando**
tomar**án**	tomar**ían**	tom**aran**	
comer**é**	comer**ía**	com**iera**	com**ido**
comer**ás**	comer**ías**	com**ieras**	
comer**á**	comer**ía**	com**iera**	....
comer**emos**	comer**íamos**	com**iéramos**	com**iendo**
comer**án**	comer**ían**	com**ieran**	
vivir**é**	vivir**ía**	viv**iera**	viv**ido**
vivir**ás**	vivir**ías**	viv**ieras**	
vivir**á**	vivir**ía**	viv**iera**	....
vivir**emos**	vivir**íamos**	viv**iéramos**	viv**iendo**
vivir**án**	vivir**ían**	viv**ieran**	

b Root-changing

	PRESENT INDICATIVE	PRESENT SUBJUNCTIVE	PRETERITE	FUTURE
cerrar (ie)	cierro	cierre	cerré	cerraré
	cierras	cierres	cerraste	cerrarás
	cierra	cierre	cerró	cerrará
	cerramos	cerremos	cerramos	cerraremos
	cierran	cierren	cerraron	cerrarán
mover (ue)	muevo	mueva	moví	moveré
	mueves	muevas	moviste	moverás
	mueve	mueva	movió	moverá
	movemos	movamos	movimos	moveremos
	mueven	muevan	movieron	moverán
pedir (i)	pido	pida	pedí	pediré
	pides	pidas	pediste	pedirás
	pide	pida	pidió	pedirá
	pedimos	pidamos	pedimos	pediremos
	piden	pidan	pidieron	pedirán
sentir (ie-i)	siento	sienta	sentí	sentiré
	sientes	sientas	sentiste	sentirás
	siente	sienta	sintió	sentirá
	sentimos	sintamos	sentimos	sentiremos
	sienten	sientan	sintieron	sentirán
dormir (ue-u)	duermo	duerma	dormí	dormiré
	duermes	duermas	dormiste	dormirás
	duerme	duerma	durmió	dormirá
	dormimos	durmamos	dormimos	dormiremos
	duermen	duerman	durmieron	dormirán

Following the pattern of
cerrar: despertarse, empezar, entender, pensar, perder, sentarse
mover: acordarse, acostarse, almorzar, comprobar, costar, doler, encontrar, jugar, llover, recordar, sonar
pedir: conseguir, elegir, reir, repetir, servir
sentir: divertirse, preferir

IMPERFECT SUBJUNCTIVE	PAST PARTICIPLE .... PRESENT PARTICIPLE
cerrara	cerrado
cerraras	....
cerrara	
cerráramos	cerrando
cerraran	
moviera	movido
movieras	....
moviera	
moviéramos	moviendo
movieran	
pidiera	pedido
pidieras	....
pidiera	
pidiéramos	pidiendo
pidieran	
sintiera	sentido
sintieras	....
sintiera	
sintiéramos	sintiendo
sintieran	
durmiera	dormido
durmieras	....
durmiera	
durmiéramos	durmiendo
durmieran	

c Spelling changes

	PRESENT INDICATIVE	PRESENT SUBJUNCTIVE	PRETERITE	FUTURE
cazar	cazo	ca**c**e	ca**c**é	cazaré
	cazas	ca**c**es	cazaste	cazarás
	caza	ca**c**e	cazó	cazará
	cazamos	ca**c**emos	cazamos	cazaremos
	cazan	ca**c**en	cazaron	cazarán
pagar	pago	pa**gu**e	pa**gu**é	pagaré
	pagas	pa**gu**es	pagaste	pagarás
	paga	pa**gu**e	pagó	pagará
	pagamos	pa**gu**emos	pagamos	pagaremos
	pagan	pa**gu**en	pagaron	pagarán
sacar	saco	sa**qu**e	sa**qu**é	sacaré
	sacas	sa**qu**es	sacaste	sacarás
	saca	sa**qu**e	sacó	sacará
	sacamos	sa**qu**emos	sacamos	sacaremos
	sacan	sa**qu**en	sacaron	sacarán
coger	co**j**o	co**j**a	cogí	cogeré
	coges	co**j**as	cogiste	cogerás
	coge	co**j**a	cogió	cogerá
	cogemos	co**j**amos	cogimos	cogeremos
	cogen	co**j**an	cogieron	cogerán
leer	leo	lea	leí	leeré
	lees	leas	leíste	leerás
	lee	lea	le**y**ó	leerá
	leemos	leamos	leímos	leeremos
	leen	lean	le**y**eron	leerán

Following the pattern of
cazar: empezar, almorzar
pagar: llegar, jugar
sacar: aparcar, buscar, dedicar, equivocarse, explicar, fabricar, indicar, marcar, pescar
coger: elegir, recoger
leer: creer

IMPERFECT SUBJUNCTIVE	PAST PARTICIPLE .... PRESENT PARTICIPLE
cazara	cazado
cazaras	....
cazara	
cazáramos	cazando
cazaran	
pagara	pagado
pagaras	....
pagara	
pagáramos	pagando
pagaran	
sacara	sacado
sacaras	....
sacara	
sacáramos	sacando
sacaran	
cogiera	cogido
cogieras	....
cogiera	
cogiéramos	cogiendo
cogieran	
leyera	leído
leyeras	....
leyera	
leyéramos	leyendo
leyeran	

d Common verbs with special forms

	PRESENT INDICATIVE	PRESENT SUBJUNCTIVE	PRETERITE	FUTURE
andar	ando	ande	**anduve**	andaré
	andas	andes	**anduviste**	andarás
	anda	ande	**anduvo**	andará
	andamos	andemos	**anduvimos**	andaremos
	andan	anden	**anduvieron**	andarán
caer	**caigo**	**caiga**	caí	caeré
	caes	**caigas**	caíste	caerás
	cae	**caiga**	ca**yó**	caerá
	caemos	**caigamos**	caímos	caeremos
	caen	**caigan**	ca**y**eron	caerán
conducir	**conduzco**	**conduzca**	**conduje**	conduciré
	conduces	**conduzcas**	**condujiste**	conducirás
	conduce	**conduzca**	**condujo**	conducirá
	conducimos	**conduzcamos**	**condujimos**	conduciremos
	conducen	**conduzcan**	**condujeron**	conducirán
conocer	**conozco**	**conozca**	conocí	conoceré
	conoces	**conozcas**	conociste	conocerás
	conoce	**conozca**	conoció	conocerá
	conocemos	**conozcamos**	conocimos	conoceremos
	conocen	**conozcan**	conocieron	conocerán
dar	**doy**	**dé**	**di**	daré
	das	**des**	**diste**	darás
	da	**dé**	**dio**	dará
	damos	demos	**dimos**	daremos
	dan	den	**dieron**	darán
decir	**digo**	**diga**	**dije**	**diré**
	dices	**digas**	**dijiste**	**dirás**
	dice	**diga**	**dijo**	**dirá**
	decimos	**digamos**	**dijimos**	**diremos**
	dicen	**digan**	**dijeron**	**dirán**
estar	**estoy**	**esté**	**estuve**	estaré
	estás	**estés**	**estuviste**	estarás
	está	**esté**	**estuvo**	estará
	estamos	estemos	**estuvimos**	estaremos
	están	**estén**	**estuvieron**	estarán

IMPERFECT SUBJUNCTIVE	PAST PARTICIPLE .... PRESENT PARTICIPLE	NOTES
anduviera	andado	
anduvieras	....	
anduviera		
anduviéramos	andando	
anduvieran		
cayera	ca**í**do	
cayeras	....	
cayera		
cayéramos	ca**y**endo	
cayeran		
condujera	conducido	
condujeras	....	
condujera		
condujéramos	conduciendo	
condujeran		
conociera	conocido	
conocieras	....	
conociera		
conociéramos	conociendo	
conocieran		
diera	dado	
dieras	....	
diera		
diéramos	dando	
dieran		
dijera	**dicho**	
dijeras	....	tú imperative ¡**di**!
dijera		
dijéramos	**diciendo**	
dijeran		
estuviera	estado	
estuvieras	....	
estuviera		
estuviéramos	estando	
estuvieran		

	PRESENT INDICATIVE	PRESENT SUBJUNCTIVE	PRETERITE	FUTURE
haber	**he**	**haya**	**hube**	**habré**
	has	**hayas**	**hubiste**	**habrás**
	ha	**haya**	**hubo**	**habrá**
	hemos	**hayamos**	**hubimos**	**habremos**
	han	**hayan**	**hubieron**	**habrán**
hacer	**hago**	**haga**	**hice**	**haré**
	haces	**hagas**	**hiciste**	**harás**
	hace	**haga**	**hizo**	**hará**
	hacemos	**hagamos**	**hicimos**	**haremos**
	hacen	**hagan**	**hicieron**	**harán**
ir	**voy**	**vaya**	**fui**	iré
	vas	**vayas**	**fuiste**	irás
	va	**vaya**	**fue**	irá
	vamos	**vayamos**	**fuimos**	iremos
	van	**vayan**	**fueron**	irán
oir	**oigo**	**oiga**	**oí**	oiré
	oyes	**oigas**	**oíste**	oirás
	oye	**oiga**	**oyó**	oirá
	oímos	**oigamos**	oímos	oiremos
	oyen	**oigan**	**oyeron**	oirán
poder	**puedo**	**pueda**	**pude**	**podré**
	puedes	**puedas**	**pudiste**	**podrás**
	puede	**pueda**	**pudo**	**podrá**
	podemos	podamos	**pudimos**	**podremos**
	pueden	**puedan**	**pudieron**	**podrán**
poner	**pongo**	**ponga**	**puse**	**pondré**
	pones	**pongas**	**pusiste**	**pondrás**
	pone	**ponga**	**puso**	**pondrá**
	ponemos	**pongamos**	**pusimos**	**pondremos**
	ponen	**pongan**	**pusieron**	**pondrán**
querer	**quiero**	**quiera**	**quise**	**querré**
	quieres	**quieras**	**quisiste**	**querrás**
	quiere	**quiera**	**quiso**	**querrá**
	queremos	queramos	**quisimos**	**querremos**
	quieren	**quieran**	**quisieron**	**querrán**
saber	**sé**	**sepa**	**supe**	**sabré**
	sabes	**sepas**	**supiste**	**sabrás**
	sabe	**sepa**	**supo**	**sabrá**
	sabemos	**sepamos**	**supimos**	**sabremos**
	saben	**sepan**	**supieron**	**sabrán**

IMPERFECT SUBJUNCTIVE	PAST PARTICIPLE .... PRESENT PARTICIPLE	NOTES
hubiera **hubieras** **hubiera** **hubiéramos** **hubieran**	habido .... habiendo	
hiciera **hicieras** **hiciera** **hiciéramos** **hicieran**	**hecho** .... haciendo	tú imperative ¡**haz**!
fuera **fueras** **fuera** **fuéramos** **fueran**	ido .... **yendo**	tú imperative ¡**ve**! Imperfect **iba, ibas, iba, íbamos, iban**
oyera **oyeras** **oyera** **oyéramos** **oyeran**	oído .... **oyendo**	
pudiera **pudieras** **pudiera** **pudiéramos** **pudieran**	podido .... **pudiendo**	
pusiera **pusieras** **pusiera** **pusiéramos** **pusieran**	**puesto** .... poniendo	tú imperative ¡**pon**!
quisiera **quisieras** **quisiera** **quisiéramos** **quisieran**	querido .... queriendo	
supiera **supieras** **supiera** **supiéramos** **supieran**	sabido .... sabiendo	

	PRESENT INDICATIVE	PRESENT SUBJUNCTIVE	PRETERITE	FUTURE
salir	**salgo**	**salga**	salí	**saldré**
	sales	**salgas**	saliste	**saldrás**
	sale	**salga**	salió	**saldrá**
	salimos	**salgamos**	salimos	**saldremos**
	salen	**salgan**	salieron	**saldrán**
seguir	**sigo**	**siga**	seguí	seguiré
	sigues	**sigas**	seguiste	seguirás
	sigue	**siga**	**siguió**	seguirá
	seguimos	**sigamos**	seguimos	seguiremos
	siguen	**sigan**	**siguieron**	seguirán
ser	**soy**	**sea**	**fui**	seré
	eres	**seas**	**fuiste**	serás
	es	**sea**	**fue**	será
	somos	**seamos**	**fuimos**	seremos
	son	**sean**	**fueron**	serán
tener	**tengo**	**tenga**	**tuve**	**tendré**
	tienes	**tengas**	**tuviste**	**tendrás**
	tiene	**tenga**	**tuvo**	**tendrá**
	tenemos	**tengamos**	**tuvimos**	**tendremos**
	tienen	**tengan**	**tuvieron**	**tendrán**
traer	**traigo**	**traiga**	**traje**	traeré
	traes	**traigas**	**trajiste**	traerás
	trae	**traiga**	**trajo**	traerá
	traemos	**traigamos**	**trajimos**	traeremos
	traen	**traigan**	**trajeron**	traerán
venir	**vengo**	**venga**	**vine**	**vendré**
	vienes	**vengas**	**viniste**	**vendrás**
	viene	**venga**	**vino**	**vendrá**
	venimos	**vengamos**	**vinimos**	**vendremos**
	vienen	**vengan**	**vinieron**	**vendrán**
ver	**veo**	**vea**	vi	veré
	ves	**veas**	viste	verás
	ve	**vea**	vio	verá
	vemos	**veamos**	vimos	veremos
	ven	**vean**	vieron	verán
volver	**vuelvo**	**vuelva**	volví	volveré
	vuelves	**vuelvas**	volviste	volverás
	vuelve	**vuelva**	volvió	volverá
	volvemos	volvamos	volvimos	volveremos
	vuelven	**vuelvan**	volvieron	volverán

IMPERFECT SUBJUNCTIVE	PAST PARTICIPLE .... PRESENT PARTICIPLE	
saliera	salido	
salieras	....	tú imperative ¡**sal**!
saliera		
saliéramos	saliendo	
salieran		
siguiera	seguido	
siguieras	....	
siguiera		
siguiéramos	**siguiendo**	
siguieran		
fuera	sido	
fueras	....	tú imperative ¡**sé**!
fuera		
fuéramos	siendo	Imperfect **era, eras, era, éramos, eran**
fueran		
tuviera	tenido	
tuvieras	....	tú imperative ¡**ten**!
tuviera		
tuviéramos	teniendo	
tuvieran		
trajera	traído	
trajeras	....	
trajera		
trajéramos	**trayendo**	
trajeran		
viniera	venido	
vinieras	....	tú imperative ¡**ven**!
viniera		
viniéramos	**viniendo**	
vinieran		
viera	**visto**	
vieras	....	Imperfect **veía, veías, veía, veíamos, veían**
viera		
viéramos	viendo	
vieran		
volviera	**vuelto**	
volvieras	....	
volviera		
volviéramos	volviendo	
volvieran		

Glossary

Note that the Spanish alphabet treats *ch* and *ll* as separate letters which come after *c* and *l*: this applies within words as well as initially. Verbs are listed by their infinitives. Changing verbs are listed with their changes in brackets. Abbreviations: adj.—adjective; adv.—adverb; f.—feminine; fam.—familiar; pl.—plural; inf.—infinitive; p.p.—past participle.

A

a *to, at*
abajo *downstairs*
de abajo *below*
abandonar *to abandon*
abierto, -a *open*
el abogado *lawyer, solicitor*
el abrelatas *tin opener*
abrigarse *to wrap oneself up*
el abrigo *overcoat*
ropa de abrigo *warm, winter clothing*
abril *April*
abrir *to open*
absoluto, en — *by no means, not at all*
la abuela *grandmother*
abundante *abundant, plentiful*
aburrido, -a *boring; bored*
aburrir *to bore*
aburrirse *to get, be bored*
acabar *to finish*
acabar de *inf.* *to have just* + p.p.
acatarrado, -a *having a cold*
la acción *action*
el aceite *oil*
aceptar *to accept*
la acera *kerb, pavement*
acobardarse *to lose courage*
acompañar *to go with, accompany*
aconsejar *to advise*
acordarse (de) (UE) *to remember*
acostar (UE) *to put to bed*
acostarse *to go to bed*
la actividad *activity*
acto seguido *shortly afterwards*
el acuerdo *agreement*
de acuerdo *in agreement, I agree*
poner de acuerdo *to get to agree*
adelantar *to overtake*
¡adelante! *come in!*
además (de) *besides*
adiós *goodbye*
adivinar *to guess*
¿adónde? *where (to)?*
la aduana *customs*
el aduanero *customs officer*
advertir (IE-I) *to warn*
el aeropuerto *airport*
aficionado, -a *keen; fan*
afortunadamente *luckily*
la agencia *agency*
la agitación *excitement*
agosto *August*
agradable *pleasant*
agradecer (-ZCO) *to be grateful (for)*
agradecido, -a *grateful*
el agua *f.* *water*
aguantar *to put up with*
el agujero *hole*
ahí *there*
ahora *now*
ahora mismo *right now*
hasta ahora *see you in a minute; up to now*
por ahora *for the time being*
ahorrar *to save (money, time, etc.)*
el aire *air*
al (a + el) *to the*
alarmado, -a *alarmed*
alegrar *to cheer up*
alegrarse (de) *to be glad (about)*
la alegría *joy*
alejarse *to walk off*
algo *something, anything*
¿algo más? *anything else?*
alguien *somebody, anybody*
algún, -a *some, any*
alguno, -a *some, any*
algunos, -as *some, any*
el almacén *store, large shop*
almorzar (UE) *to have lunch*
el almuerzo *lunch*
alquilar *to rent, hire*
alrededor *round, around*
los alrededores *surroundings*
alto, -a *high; top, upper*
en voz alta *aloud*
allá usted, ellos, etc. *it's up to you, them, etc.*

allí *there*
allí mismo *right there*
amable *kind*
amablemente *kindly*
el/la amigo, -a *friend*
el análisis *analysis*
analizar *to analyse*
el ancla *f.* *anchor*
¡anda! *come on!*
andar *to walk*
anglo-español, -a *Anglo-Spanish*
animarse *to cheer up*
el anís *anisette*
anoche *last night*
anteayer *the day before yesterday*
antes (de) *before; formerly*
cuanto antes *as soon as possible*
lo antes posible *as soon as possible*
mucho antes *long before*
antipático, -a *unpleasant*
el año *year*
apagar *to put out (fire, light)*
aparcar *to park*
aparecer (-ZCO) *to appear, turn up*
aparte *aside*
apenas *hardly*
el aperitivo *apéritif*
apetecer *to appeal to, tempt*
me apetece . . . *I feel like . . .*
el apetito *appetite*
aplicar *to apply*
aprender *to learn*
apresurarse (a) *to hurry, make haste*
aprovecharse (de) *to take advantage (of)*
aquél, -la *that one*
aquel, -la *that*
aquello *that* (neut.)
aquéllos, -as *those ones*
aquellos, -as *those*
aquí *here*
aquí mismo *right here*
por aquí *this way, round here*
aragonés, -a *Aragonese*
la arena *sand*
arrancar *to start off, pull out*
arreglado *settled*
arreglar *to repair*
arreglarse *to dress*
arreglárselas *to manage*
arrimarse *to pull up, pull in (cars)*
artístico, -a *artistic*
asegurado, -a *insured*
asegurar *to insure; to assure*
asegurarse (de) *to make sure*
aseo, cosas de — *toilet things*
así *like this, thus*
así que *so that*
aun así *even so*
el asiento *seat*
asistir *to attend*
el asunto *matter, business*
atareado, -a *busy*
atar, loco de — *stark-raving mad*
atención, en — de *for the benefit of*
atender (IE) *to attend to, see to*
aterrizar *to land*
atestado, -a *crowded, packed*
atontado, -a *stunned, stupid*
atraer *to appeal, attract*
atrás *behind*
dejar atrás *to leave behind*
atreverse (a) *to dare*
aun *even*
aun así *even so*
aún *yet; still*
aunque *although*
la ausencia *absence*
ausente *absent; absentee*
autostop *hitch-hiking*
hacer autostop *to hitch-hike*
la aventura *adventure*
la avería *breakdown*
el avión *aeroplane*
avisar *to let know, inform*
ayer *yesterday*
ayudar *to help*
azul *blue*

B

bailar *to dance*
bajar *to go down; to take down; to get out/off*
bajo, -a *low, lower*
bañarse *to have a bath; to bathe*
el bar *bar*
barato, -a *cheap*
el barman *barman*
básico, -a *basic*
¡basta! *enough*
bastante *enough; rather, fairly*
la batería *battery*
el batín *dressing-gown*
beber *to drink*
la bebida *drink(s)*
el beso *kiss*
la biblioteca *library*
bien *well, right*
muy bien *very well*
pues bien *well then*

pasarlo bien *to enjoy oneself, have a good time*
venir bien *to fit; to suit*
la bienvenida *welcome*
bienvenido, -a *welcome*
el billete *ticket*
blanco, -a *white*
bledo, me importa un — *I don't give a hang*
la boca *mouth*
a pedir de boca *as planned*
el bocadillo *sandwich*
la bolsa *bag*
el bolso *hand-bag*
el bombero *fireman*
bonito, -a *pretty*
la botella *bottle*
el brazo *arm*
la bruja *witch*
buen *good*
buenas, muy — *said in answer to* buenas tardes *or* noches
bueno, -a *good*
bueno *good!, right!*
el buque *ship*
busca, en — de *in search of, looking for*
buscar *to look for*

C

el caballero *gentleman*
caber *to fit in; to be room for*
la cabeza *head*
cabo, al fin y al — *when all's said and done*
cada *each, every*
caer *to fall*
caerse *to fall down, over*
el café *coffee; café*
la caja *box; cashier's desk*
el cajón *drawer*
los calcetines *socks*
calcular *to calculate*
calentarse (IE) *to get warm, hot*
caliente *warm, hot*
la calma *calm*
calmarse *to calm down*
el calor *heat*
hace calor *it's hot, warm*
tener calor *to be warm, hot*
callar(se) *to keep quiet, be silent*
la calle *street*
la cama *bed*
la camarera *waitress*
el camarero *waiter*
cambiar *to change*
el cambio *change*
el camino *way*
de camino *en route*
por el camino *on the way*
la camisa *shirt*
¡canalla! *you rogue!*
cansado, -a *tired*
cantar *to sing*
la cantidad *quantity*
cantidad de . . . *lots of*
caprichoso, -a *whimsical, fanciful*
la cara *face*
¡caramba! *good heavens!*
¡caray! *good heavens!*
cargo, hacerse — de *to take care of*
cariacontecido, -a *looking sad, crestfallen*
caro, -a *dear, expensive*
la carretera *road*
la carta *letter*
la cartera *wallet*
el cartero *postman*
la casa *house, home*
a casa *home*
en casa *at home*
casi *almost*
el caso *case*
en ese caso *in that case*
en todo caso *in any case*
hacer caso (de) *to take notice (of)*
el castillo *castle*
la casualidad *coincidence*
por casualidad *by chance, by accident*
el catarro *cold*
causa, a — de *because of*
la caza *shooting, hunting*
la caza mayor *big game*
cazar *to shoot, hunt*
celebrar *to celebrate*
la cena *dinner, supper*
cenar *to have dinner, supper*
céntrico, -a *central*
el centro *centre*
cerca *nearby*
cerca (de) *near, close to*
Cerdeña *Sardinia*
el cero *zero*
la centralita *switch-board*
cerrado, -a *closed*
cerrar (IE) *to close, shut*
cerrar con llave *to lock*
la cerveza *beer*
ciento, por — *per cent*
cierto, -a *certain, true*
cierto, por — *by the way, incidentally*

el cigarrillo *cigarette*
el cigarro *cigar*
el cine *cinema*
¡claro! *of course!*
claro, -a *clear, light*
claro que . . . *it's obvious that, of course . . .*
cobrar *to cash; to get paid*
el coche *car*
codo, empinar el — *to tipple*
coger *to take; to catch*
la colección *collection, set*
el colega *colleague*
colgar (UE) *to hang; to hang up ('phone)*
colmo, ¡es el — ! *that's the last straw!*
el color *colour*
de color *coloured*
comer *to eat*
comercial *commercial*
comercialmente *commercially*
el comercio *commerce, trade, business*
cometer *to commit*
la comida *meal, food*
la comisaría *police station*
como *as, like*
¿cómo? *how?, what!*
la compañía *company, firm*
la compañía de seguros *insurance company*
la comparación *comparison*
comparar *to compare*
la compensación *compensation*
completo, -a *complete, full*
completamente *completely*
complicado, -a *complicated*
comprar *to buy, purchase*
las compras *shopping*
hacer compras *to do shopping*
ir de compras *to go shopping*
comprobar (UE) *to check*
comprometerse *to be commited*
comunicar *to be engaged ('phone)*
con *with*
con tal *provided*
la conclusión *conclusion*
la condición *condition*
conducir (-ZCO) *to drive*
el consejo *(piece of) advice*
el conserje *concierge*
confesar (IE) *to confess, admit*
el congreso *conference*
conmigo *with me*
conoce, se — que *presumably*
conocer (-ZCO) *to know; to make the acquaintance of*
conocido, -a *well-known*
la conquista *conquest*
la consecuencia *consequence*
conseguir (I) *to obtain; to manage*
considerar *to consider*
constar *to be certain*
conste que . . . *let it be clear, mind you . . .*
el consuelo *consolation*
contar (UE) *to count; to tell*
contar con *to rely on, count on*
contener *to contain*
contento, -a *happy*
contestar *to answer*
contigo *with you (fam.)*
continuar *to continue, go on*
contra *against*
el contrato *contract*
controlar *to check*
convencer *to convince*
convenir (*like* venir) *to be suitable*
el coñac *brandy*
la copa *glass (wine, liquor, etc.)*
la corbata *tie*
el correo *mail, post*
echar al correo *to post*
por correo *by mail*
¡corra! *hurry!*
correr *to run*
correr el riesgo (de) *to run the risk*
correr, a todo — *at full speed*
la corrida de toros *bullfight*
la corriente *draught*
cortarse *to cut (oneself)*
la cosa *thing*
cosas de aseo *toilet things*
cosillas *little odds and ends*
costar (UE) *to cost*
costoso, -a *costly*
costumbre, como de — *as usual*
creciente *growing*
creer *to believe; to think*
la criada *maid (servant)*
el cuadro *picture, painting*
cual, lo — *which*
cualquier(a) *any*
cuando *when*
¿cuándo? *when?*
de vez en cuando *from time to time*
¿cuánto? *how much?*
¡cuánto . . . ! *what a lot of . . . !*
cuanto *how much*
cuanto antes *as soon as possible*
en cuanto . . . *as soon as . . .*
cuantos, -as *how many*
cuarto, menos — *a quarter to*
cuarto, y — *a quarter past*

cuarto, -a *fourth*
la cubierta *tyre*
el cubierto *place setting (at table)*
cubrir *to cover*
la cuchara *spoon*
la cucharilla *coffee, tea spoon*
el cuchillo *knife*
la cuenta *bill*
darse cuenta (de) *to realise, notice*
el cuero *leather*
el cuerpo *body*
cueste lo que cueste *whatever the cost*
la cuestión *question, matter*
el cuidado *care*
perder cuidado *not to worry*
tener cuidado *to be careful*
cuidarse (de) *to take care (of), look after*
la culpa *blame, fault*
tener la culpa *to be one's fault*
el cumpleaños *birthday*
cumplidos, hacer — *to stand on ceremony*
cumplir *to keep (one's word, etc.)*
curarse *to cure, get cured*
curioso, -a *curious, odd*
el curso *course*
el curso de verano *summer course*

CH

el chalet *villa*
el champaña *champagne*
la chaqueta *jacket*
charlar *to chat*
el cheque *cheque*
la chica *girl*
el chico *boy*

D

daños, hacer — *to damage*
daños, tener — *to be damaged*
dar *to give*
dar la hora *to strike (hours)*
dar la lata *to be a nuisance*
dar la vuelta *to turn round; to turn*
dar las gracias *to thank*
dar parte de *to report*
darse cuenta (de) *to realise, notice*
darse prisa *to hurry, make haste*
el dato *detail*
de *of; from*
debajo (de) *under, underneath*
deber *to owe; to have to*
deber de *must*
debería *ought to, should*
debido, -a *due*
decidir *to decide*
decidirse *to make up one's mind*
decir (I) *to say; to tell*
decir, es — *that's to say*
decir, querer — *to mean*
decir, para no — *not to say . . .*
declarar *to declare*
definitivamente *definitively*
dejar *to leave; to let*
dejar atrás *to leave behind*
del (de + el) *from the; of the*
delante (de) *in front of*
delicioso, -a *delicious*
delirar *to rave*
demás, lo — *the rest*
demás, por lo *otherwise*
demás, los/las — *the others*
demasiado *too (much)*
demasiado, -a *too, too much*
demasiados, -as *too many*
dentro (de) *inside*
dentro de *within, in (time)*
la dependienta *shop assistant (woman)*
derecha *right*
derecha, a la — *on the right*
derechas, a — *rightly*
derecho, no hay — *it isn't fair*
desagradar *to displease*
desalojar *to clear*
el desayuno *breakfast*
descartado, quedar – *to be out of the question*
el descanso *rest*
describir *to describe*
la descripción *description*
descubrir *to discover, find out*
desde *from*
desde luego *of course*
desear *to wish*
desgraciadamente *unfortunately*
desorganizar *to disorganize; to call off*
desorientarse *to lose one's bearings, lose control*
despacio *slow, slowly*
el despacho *office*
despegar *to take off (aircraft)*
despertarse (IE) *to wake up*
despistado, -a *absent-minded*
después *afterwards*
después de *after*
detalladamente *in detail*

el detalle *detail*
el detective *detective*
detenidamente *slowly*
detrás (de) *behind*
la devaluación *devaluation*
devaluar *to devalue*
el día *day*
día libre *day off*
al día *up to date*
buenos días *good morning*
dice, se — que . . . *it is said . . .*
diciembre *December*
dicho, mejor – *or rather*
difícil *difficult*
la dificultad *difficulty*
¡diga! *hello! ('phone)*
¡no me diga! *you don't say!*
el dineral *fortune*
el dinero *money*
la dirección *address; direction*
dirección única *one-way (street)*
directamente *directly*
dirigirse (a) *to address; to head for*
el disco *record*
la disculpa *excuse*
disculpar *to excuse*
el discurso *speech*
la discusión *discussion, argument*
discutir *to discuss; to argue*
la distancia *distance*
la distribución *distribution*
divertido, -a *amusing; amused*
divertirse (IE-I) *to enjoy oneself*
divinamente *superbly*
doblar *to turn*
el documento *document*
doler (UE) *to ache, hurt; to regret*
el dolor *ache, pain*
dolor de cabeza *headache*
el domicilio *home address*
domingo *Sunday*
donde *where*
dormir (UE-U) *to sleep*
dormirse *to go to sleep, fall asleep*
el dormitorio *bedroom*
dos, los — *both, the two of them, us, etc.*
dos, de — en — *in pairs, in twos*
la duda *doubt*
sin duda *without any doubt*
dudar *to doubt*
duele, me — *I regret*
dulce (*adj.*) *sweet*
durante *during, for*
durar *to last*
duro, -a *hard, strong*

E

echar *to throw*
echar al correo *to post*
echar de menos *to miss (regret the absence of)*
echar un vistazo *to take a look*
la Edad Media *Middle Ages*
el edificio *building*
efectivamente *as a matter of fact*
el efecto *effect*
el ejercicio *exercise*
el *the*
él *he; him*
elegir (I) *to choose*
ella *she; her*
ello *it*
por ello *for that reason*
ellos, -as *they; them*
embargo, sin — *nevertheless, yet*
emocionante *exciting, thrilling*
el empacho *excess, too much of*
empeñarse (en) *to insist (on)*
empezar (IE) *to begin, start*
empinar el codo *to tipple*
el/la empleado, -a *employee, attendant*
en *in, at; on*
encantado, -a *delighted*
encantar *to delight*
encargar *to order*
encargarse de *to take care of*
el encargo *order, errand*
encima (de) *above, on top of*
encima, por — de todo *whatever happens*
encontrar (UE) *to find*
encontrarse *to feel*
encontrarse con *to meet*
enemigo, -a *enemy*
enfadado, -a *annoyed, angry*
enfadar *to annoy*
enfadarse *to get, be annoyed, angry*
enero *January*
enfermedad *illness*
enfermo, -a (*adj.*) *ill*
el/la enfermo, -a *patient*
engañar *to cheat, deceive*
enorme *huge, enormous*
el ensalmo *spell*
entender (IE) *to understand*
entenderse (con) *to make oneself understood*
enterarse (de) *to get to know, find out*
entonces *then*
la entrada *entrance; (admission) ticket*
entrar *to go/come in*

entre *between; among*
entregar *to deliver; to hand in*
enviar *to send*
la epidemia *epidemic*
el equipaje *luggage*
equivocarse *to be wrong, mistaken*
el error *error, mistake*
es que . . . *the fact is . . .*
la escalera *stairs, staircase*
escaparse *to run away, escape*
Escocia *Scotland*
escribir *to write*
escuchar *to listen (to)*
ése, -a *that one*
ese, -a *that*
ese, -a mismo/a *that very one*
el esfuerzo *effort*
eso *that* (neut.)
eso es *that's it*
eso mismo *that very thing*
a eso de *at about (time)*
por eso *therefore, for that reason*
ésos, -as *those ones*
esos, -as *those*
el espacio *space*
España *Spain*
español, -a *Spanish; Spaniard*
especial *special*
la especialidad *speciality*
especialmente *specially*
especie de *kind, sort of*
la esperanza *hope*
esperar *to hope; to wait (for); to expect*
el espionaje *espionage*
está claro que . . . *it's obvious that . . .*
claro está *of course*
establecer (-ZCO) *to establish*
la estación *station*
estación de servicio *service station*
(los) Estados Unidos *United States*
estar *to be*
estar al día de *to be up to date with*
estar de acuerdo *to agree, be in agreement*
éste, -a *this one*
este, -a *this*
esterlina, libra — *pound sterling*
estilo, por el — *like that, of that kind*
esto *this* (neut.)
éstos, -as *these ones*
estos, -as *these*
estorbar *to be in the way*
estornudar *to sneeze*
estrellarse *to crash*
estropear *to spoil, ruin*
el/la estudiante *student*
estudiar *to study*
estupendamente *wonderfully*
estupendo, -a *wonderful, marvellous*
exactamente *exactly*
exagerado, -a *exaggerated*
exagerar *to exaggerate*
el examen *examination; survey*
excelente *excellent*
la excursión *excursion, trip*
la excusa *excuse*
existir *to exist*
explicar *to explain*
la expresión *expression*
el expreso *long-distance train*
extranjero, -a (*adj.*) *foreign*
el/la extranjero, -a *foreigner*
el extranjero *abroad*
extrañarse (de) *to be surprised*

F

fácil *easy*
la faena *dirty trick*
falta, hacer — *to need, be needed*
si hace falta *if necessary*
faltar *to be short of; to be left (time distance)*
¡no faltaba más! *by all means!*
la familia *family*
famoso, -a *famous*
fantástico, -a *fantastic*
favor, haga el favor de . . . *be so kind as to . . .*
favor, por — *please*
febrero *February*
la fecha *date*
feo, -a *ugly; not nice*
la fiesta *party*
fijar *to fix, arrange*
el fin *end*
fin de semana *weekend*
al fin y al cabo *when all's said and done*
por fin *at last, finally*
final, al — de *at the end of*
la firma *signature*
firmar *to sign*
flamante, nuevo *brand new*
flamenco *flamenco*
la flor *flower*
el folleto *brochure, booklet*
fondo, en el — *at heart*
formal *reliable, serious*
forzar (UE) *to force*

francamente *frankly*
frecuente *frequent*
fresco *cool*
fresquito *nice and cool*
la fruta *fruit*
el fuego *fire; light*
la fuente *serving dish*
fuera (de) *outside*
estar fuera *to be away*
fuerte *strong*
funcionar *to work, function*
furioso, -a *furious*
el fútbol *football*

G

la galleta *biscuit*
el gamberro *hooligan, vandal*
ganas, tener — de *to feel like*
el garaje *garage*
la garganta *throat*
la gasolina *petrol*
el gatito *kitten*
el gato *cat*
general (*adj.*) *general*
genial *smashing*
la gente *people*
el gerente *manager*
la gloria *heaven*
gracia, tener — *to be funny*
gracias *thanks, thank you*
muchas gracias *thank you very much*
dar las gracias *to thank*
gran *grand, great; large, big*
grande *large, big*
el granizado *iced drink*
granizado de limón *iced lemon*
grave *serious*
la gravedad *gravity, seriousness*
la gripe *'flu*
gris *grey*
gritar *to shout, scream*
el grupo *group, party*
los guantes *gloves*
guapo, -a *good looking*
guardar *to keep*
guisar *to cook*
gustar *to like*
el gusto *taste*
a gusto *pleased*

H

haber *to have*
la habitación *room*
hablar *to speak, talk*
¡ni hablar! *not on your life!*
oir hablar de *to hear of*
hace *ago*
hacer *to do, to make*
hacer autostop *to hitch-hike*
hacer calor *to be hot, warm*
hacer caso (de) *to take notice (of)*
hacer compras *to do shopping*
hacer daños *to damage*
hacer falta *to be needed*
hacer la maleta *to pack*
hacerse *to become*
hacerse cargo de *to take care of*
hacerse tarde *to be getting late*
hacia *towards*
hasta *until; as far as; even*
hasta ahora *so far; see you in a minute*
hasta aquí *up to here; up to now*
hasta pronto *see you soon*
hasta la vista *I'll see you again*
hasta la vuelta *I'll see you when I come back*
el hall *hall*
hambre, tener — *to be hungry*
hambre de lobo, tener un – *to be, ravenous*
hay *there is, there are*
hay que *one has to, one must*
el hechizo *charm, spell*
el hecho *fact*
el hermano *brother*
hermoso, -a *beautiful*
el hielo *ice*
la hija *daughter*
el hijo *son*
los hijos *sons and daughters; children*
la historia *history, story*
histórico, -a *historic*
la hoja *sheet*
hola *hello*
el hombre *man*
la hora *hour; time*
¿a qué hora? *what time?*
¿qué hora es? *what is the time?*
media hora *half an hour*
a primera hora *first thing (in the morning)*
horrible *horrible*
horriblemente *horribly*
hospedarse *to stop, put up (at hotel)*

el hotel *hotel*
hoy *today*
la huella *track*
el huevo *egg*
el humor *humour; mood*
mal humor *bad temper*

I

la idea *idea*
identificar *to identify*
la iglesia *church*
igual *same*
es igual *it's all the same*
igualmente *all the same*
la ilusión *illusion, delusion*
imaginarse *to imagine*
la impaciencia *impatience*
impaciente *impatient*
importa *it's important*
no importa *never mind*
¿qué importa? *what does it matter?*
importante *important*
importar *to matter*
imposible *impossible*
la impresión *impression*
improbable *unlikely, improbable*
incalificable *unspeakable*
incapaz *incapable, unable*
el incendio *fire*
incluso *even, including*
el inconveniente *disadvantage*
increíble *incredible*
indicar *to show, indicate*
indiscreción *indiscretion*
indudablemente *doubtlessly*
la información *information*
informal *unreliable*
informativo *informative*
el informe *report*
inglés, -sa *English*
inmediatamente *immediately*
el inspector *inspector*
la intención *intention*
intentar *to try*
el interés *interest*
interesante *interesting*
interesar *to interest*
interior (*adj.*) *interior*
ropa interior *underwear*
internacional *international*
intranquilo, -a *worried, uneasy*
inútil *useless*
invierno *winter*
el/la invitado, -a *guest*
la invitación *invitation*
invitar *to invite*
ir *to go*
ir a + *inf.* *to be going to* + inf.
ir bien *to go well, suit*
ir a pie *to go on foot*
ir de compras *to go shopping*
irse *to be off, go away*
la isla *island*
Italia *Italy*
italiano, -a *italian*
izquierda *left*
izquierda, a la — *on the left*

J

el jamón *ham*
japonés, -a *Japanese*
el jerez *sherry*
joven *young*
joya *jewel*
jueves *Thursday*
jugar (UE) *to play*
julio *July*
junio *June*
juntos, -as *together*
todos juntos *all together*
justamente *exactly; as a matter of fact*

K

el kilómetro *kilometre*

L

la *the; it, her*
el lado *side*
al lado de *at the side of*
de al lado *next (door) to*
el ladrón *thief*
la lana *wool*
largo, -a *long*
las *the; them*
lástima, ¡qué — ! *what a pity!*
la lata *tin, can*
¡qué lata! *what a bore! a nuisance!*
dar la lata *to be a nuisance*
el lavaplatos *dish-washing machine*
lavar *to wash*
lavarse *to have a wash*
le *you (to/for)*

la lección *lesson*
la leche *milk*
leer *to read*
lejos (de) *far, far away (from)*
la lengua *tongue*
el leño *log*
les *you (to/for)* pl.
levantarse *to get up*
la libra esterlina *pound sterling*
libre *free*
día libre *day off*
la librería *bookshop*
el librero *bookseller*
el libro *book*
el licor *liquor*
limitar *to limit*
el limón *lemon*
zumo de limón *lemon juice*
la limonada *lemon squash*
limpiar *to clean*
lindo, de lo — *in earnest*
la línea *line*
el lío *muddle*
la lista *list*
listo, -a *clever; ready*
la litera *couchette, berth*
el litro *litre*
lo *it; the* (neut.)
lo de *that business of*
lo demás *the rest*
lo que *that which, what*
el lobo *wolf*
localizar *to locate*
loco, -a *mad, crazy*
loco de atar *stark-raving mad*
la locura *madness*
lograr *to succeed*
Londres *London*
los *the; them*
los que *those who*
las luces de tráfico *traffic lights*
luego *then, later, next*
el lugar *place*
en lugar de *instead of, in place of*
en su lugar *in his place*
lunes *Monday*
la luz *light*

LL

la llamada *call*
llamar *to call*
llamar al timbre *to ring the bell*
llamarse *to call oneself, be named*
me llamo . . . *my name is . . .*
la llave *key*
la llegada *arrival*
llegar *to arrive*
llenar *to fill*
llevar *to take, carry; to lead*
llover (UE) *to rain*
la lluvia *rain*

M

la madre *mother*
madrileño, -a *of Madrid*
la madrugada *early morning*
madrugar *to rise early*
magnífico, -a *magnificent, marvellous*
mal (*adv.*) *bad, badly, ill*
mal (*adj.*) *bad*
menos mal *it's a good job*
no del todo mal *not too bad*
maldito, -a *accursed*
la maleta *suitcase*
el maletín *briefcase*
malo, -a *bad*
malucho, -a *rather ill, out of sorts*
Mallorca *Majorca*
mandar *to send*
la manera *manner, way, fashion*
de otra manera *otherwise*
de ninguna manera *by no means*
de todas maneras *anyhow*
¡qué manera de . . . ! *what a way to . . . !*
¡vaya una manera de . . . ! *what a way to . . . !*
la manía *craze, fad*
la mano *hand*
el mantel *tablecloth*
mantener (*like* tener) *to maintain*
la mantilla *mantilla*
mañana *tomorrow*
la mañana *morning*
mañana por la mañana *tomorrow morning*
pasado mañana *the day after tomorrow*
el mapa *map*
el mar *sea*
orilla del mar *seaside*
maravilloso, -a *marvellous*
marca *make, mark*
marcar *to dial*
marcha, en — *en route*
poner en marcha *to start up*
marcharse *to go away*
el marido *husband*
martes *Tuesday*

el mártir *martyr*
marzo *March*
más *more; else*
más . . . que *more . . . than, . . . -er than*
más o menos *more or less*
¿qué más? *what else?*
¿algo más? *anything else?*
no más que *no more than*
matar *to kill*
matar dos pájaros de un tiro *to kill two birds with one stone*
la matrícula *registration number (of cars)*
mayo *May*
mayor *older; grown up*
me *me, to me*
el mecánico *mechanic*
el mechero *lighter*
la medicina *medicine*
el médico *doctor*
medieval *medieval*
medio, -a *half*
en medio de *in the middle of*
mejor *better*
a lo mejor *maybe, with any luck*
el/la mejor *the best*
mucho mejor *much better*
será mejor *it'll be better . . .*
mejorar *to improve*
mejorarse *to get better*
menor *smaller; younger*
menos *less; to (time)*
menos mal . . . *it's a good job . . .*
a menos que *unless*
echar de menos *to miss*
más o menos *more or less*
por lo menos *at least*
merecer (-zco) *to deserve*
merecer la pena *to be worth while*
la merluza *hake*
el mes *month*
la mesa *table*
la mesita *little table (for coffee, telephone, etc.)*
meter *to put in*
meterse por *to go through*
Metro *Underground*
mi(s) *my*
mí *to/for me*
el miedo *fear*
de miedo *terrific, frightful*
mientras *while*
mientras tanto *meanwhile*
miércoles *Wednesday*
mil gracias *thanks a lot*
el minuto *minute*
mío, -a *mine*
el/la mío, -a *mine*
mirar *to look (at)*
mismo *right (here, now, etc.)*
mismo, -a *same*
el misterio *mystery*
la mitad *half*
molestar *to bother, disturb*
la molestia *bother, trouble*
el momentito *short while*
el momento *moment*
de un momento a otro *any minute now*
por el momento *for the time being*
el monstruo *monster*
la montaña *mountain*
el montón *heap, stack*
el monumento *monument*
la mosca *fly*
el mosquito *mosquito*
el mostrador *counter*
el motor *engine, motor*
el mozo *porter*
muchísimo (adv.) *a great deal*
muchísimo, -a *a great deal of*
mucho (adv.) *a great deal, a lot*
mucho antes *long before*
mucho mejor *much better*
muchos, -a *many*
la mujer *woman; wife*
el mundo *world*
todo el mundo *everybody*
el museo *museum*
la música *music*
muy *very*
muy bien *very well*

N

nacer (-zco) *to be born*
nacional *national*
nada *nothing*
de nada *don't mention it*
nadie *nobody*
natural *natural*
naturalmente *naturally*
necesario, -a *necessary*
necesitar *to need*
el negocio *business*
el neumático *tyre*
ni *nor;*
ni siquiera *not even*
ni un/a *not even*
ni . . . ni . . . *neither . . . nor . . .*
la niebla *fog*

ningún, -a *no, not any*
ninguno, -a *not any, no, none*
el niño *child, boy*
la niña *child, girl*
los niños *children*
no *no; not*
la noche *night/evening*
buenas noches *good night*
de noche *at night*
esta noche *tonight*
por la noche *in the night/evening*
el nombre *name*
a nombre de *in the name of*
en nombre de *on behalf of*
normal *normal*
nos *us*
nosotros, -as *we*
la nota *note*
notar *to note, notice*
la noticia (*piece of*) *news*
la novela *novel*
noviembre *November*
nuestro, -a *our*
los/las nuestros/as *ours*
Nueva York *New York*
nuevo, -a *new*
de nuevo *again*
la nuez *nut*
el número *number*
nunca *never*

O

o *or*
la ocasión *occasion*
octubre *October*
ocupado, -a *busy*
ocupar *to occupy, take up*
ocuparse de *to busy oneself with*
ocurrir *to happen*
ocurrírsele *to occur to one*
ofenderse *to take offence*
la oficina *office*
ofrecerse *to offer*
¡oiga! *I say!*
oir *to hear*
oir hablar de *to hear of*
ojalá . . . *I wish . . .*
el ojo *eye*
olvidar *to forget*
organizar *to organize*
la orilla del mar *seaside*
oscuro, -a *dark*
el oso *bear*
otra vez *again*
otro, -a *another*
en otro sitio *somewhere else*

P

la paciencia *patience*
el padre *father*
pagar *to pay*
pagar el pato *to face the music*
el país *country*
el pájaro *bird*
palidecer (-zco) *to turn pale*
pálido, -a *pálido; light* (*colour*)
el pan *bread*
el papel *paper*
el paquete *parcel, packet*
el par *pair, couple*
para *for*
¿para qué? *what for?*
para que *so that, in order to*
para no decir . . . *not to say . . .*
parar *to stop*
pararse *to come to a halt*
parecer (-zco) *to seem, look*
al parecer *apparently*
parece que . . . *it seems . . .*
me parece . . . *it seems to me, I think . . .*
parecido, -a *alike, similar*
los parientes *relatives*
el parking *car park*
la parte *place*
por otra parte *on the other hand*
por todas partes *everywhere*
dar parte de *to report*
particular *private*
de particular *special*
el partido *match*
pasada, la semana — *last week*
pasado, -a *last*
pasado mañana *the day after tomorrow*
pasar *to happen; to pass; to spend* (*time*)
pasar de *to become of*
pasar por *to call* (*in*) *at*
pasar de la raya *to go too far*
pasarlo bien *to have a good time*
el paseo *walk*
¡pasen! *come in!*
el paso *step*
a dos pasos *a stone's throw*
la pastilla *tablet, pill*
el pato *duck*
pagar el pato *to face the music*

pedir (I) *to ask for*
pelearse *to fight*
la película *film*
el peligro *danger*
el pelmazo *awful bore*
el pelo *hair*
tomar el pelo a *to pull a fast one on*
pena, merecer la – *to be worth while*
pensar (IE) *to think*
pensándolo bien *on second thoughts*
¡ni pensarlo! *not on your life!*
el percance *mishap*
la pensión *boarding house*
perder (IE) *to lose; to miss; to waste*
perdido, -a *lost*
perdonar *to forgive*
perfectamente *perfectly*
la pericia *skill*
el periódico *newspaper*
permitir *to allow*
pero *but*
los peros *'buts', objections*
poner peros *to quibble*
la persona *person*
personal (*adj.*) *personal*
el personal *personnel, staff*
personalmente *personally*
pesado, -a *heavy; boring*
pesar *to weigh; to be heavy*
el pescado *fish*
pescar *to fish*
la peseta *peseta*
la pesquisa *inquiry, search*
la piedra *stone*
la pierna *leg*
pinchar(se) *to have a puncture*
el piloto *pilot*
los Pirineos *Pyrenees*
el piso *floor; flat*
el placer *pleasure*
el plan *plan*
la planta *floor*
el platito *saucer*
el plato *dish, plate*
la playa *beach*
la plaza *square*
la pluma *pen*
pobre *poor*
poco, -a *little*
un poco de *a little (of)*
por si fuera poco *to crown it all*
poco a poco *little by little*
poder (UE) *to be able (to)*
el policía *policeman*
la policía *police*
policiaco, -a *detective* (adj.)
poner *to put; to set, lay*
ponerse *to become*
poquito *a little bit*
por *in, during, by, through*
por aquí *this way*
por lo demás *otherwise*
por lo tanto *therefore*
¿por qué? *why?*
porfiar *to insist, argue stubbornly*
porque *because*
posible *possible*
lo antes posible *as soon as possible*
el precio *price*
precioso, -a *lovely, pretty*
precisamente *precisely*
preferido, -a *favourite*
preferir (IE-I) *to prefer*
la pregunta *question*
preguntar *to ask*
preocuparse (de/por) *to worry (about)*
preparar *to prepare*
la presentación *introduction*
presentarse *to appear, turn up*
prestar *to lend*
el pretexto *excuse*
primero *first (of all)*
primero, -a *first*
a primera hora *first thing (in the morning)*
principal *main, principal*
lo principal *the main thing*
la prisa *haste, hurry*
de prisa *in a hurry*
darse prisa *to hurry up*
tener prisa *to be in a hurry*
probable *probable*
probar (UE) *to try; to taste*
el problema *problem, trouble*
prohibir *to forbid*
prometer *to promise*
pronto *soon*
de pronto *suddenly*
hasta pronto *I'll see you soon*
pronunciar *to make (a speech)*
propagarse *to spread*
propósito, a — *incidentally, by the way*
próximo, -a *next*
los proyectos *plans*
prudente *wise*
el pueblo *village*
puede, ¿se — ? *may I come in?*
la puerta *door*
pues *well, then*
pues bien *well, then*

pues sí *well, yes*
el pulso *pulse*
el punto *point, item*
punto, en — *sharp (time), on the dot*
puntual *punctual*

Q

que *that*
¿qué . . . ? *what?*
¡qué . . . ! *how . . . !, what a . . . !*
lo que *that which*
los que *those who*
¿por qué? *why?*
es que . . . *it's just that . . .*
¡qué va! *not at all!*
quedar *to remain, be left*
quedar en *to agree on*
quedarse *to stay*
quedarse con *to keep*
quedarse sin *to run out of*
quejarse (de) *to complain (about)*
quemar (se) *to burn*
querer (IE) *to want (to)*
querer decir *to mean*
el queso *cheese*
quien *who*
¿quién? *who?*
quienes *who* (pl.)
la quijotada *quixotic thing to do or say*
quinto, -a *fifth*
quitar *to remove*
quitar el sueño *to keep one awake*
quitarse *to take off (clothes, etc.)*
quizá(s) *perhaps*

R

raro, -a *odd, strange*
¡qué raro! *how odd!*
rastras, seguir a —, *to drag behind*
un ratito *short while*
un rato *while, moment*
raya, pasar de la – *to go too far, be the limit*
la razón *reason*
tener razón to be right
real *real, royal*
realidad *actually*
realmente *really*
el recado *errand, message*
la recepción *reception*
la recepcionista *receptionist*
la receta *prescription*
recibir *to receive; to meet*
recobrar *to recover*
recoger *to collect, pick up*
recogerse *to go home to bed*
recomendar *to recommend*
recompensar *to reward*
reconocible *recognisable*
recordar (UE) *to remind; to remember*
el recorrido *course, run*
recto, -a *straight*
todo recto *straight ahead*
regalar *to give (presents)*
el regalo *present, gift*
registrar *to search*
reir *to laugh*
la relación *relation*
el reloj *watch, clock*
el remedio *remedy*
reparar *to repair*
repartir *to hand out*
repentino, -a *sudden*
repetir (I) *to repeat*
reponerse *to recover*
la reserva *reservation*
reservar *to reserve, book*
resolver (UE) *to solve, sort out*
el restaurante *restaurant*
resuelto, -a *solved, sorted out*
el resultado *result*
el resumen *summary*
retener *to hold up*
retirarse *to withdraw*
¡no se retire! *hold on! ('phone)*
el retraso *delay*
la reunión *meeting*
revisar *to check*
la revista *magazine*
el rey *king*
rico, -a *rich, wealthy; delicious*
riesgo, correr el — de *to run the risk of*
el río *river*
riquísimo, -a *extremely delicious*
robar *to steal*
el robo *theft*
rogar (UE) *to pray, beg*
rojo, -a *red*
romper *to break*
la ronda *round*
la ropa *clothing*
ropa de abrigo *winter clothing*
ropa interior *underwear*
el rosbif *roastbeef*
roto, -a *broken*
la rueda *wheel*
el ruido *noise*

S

sábado *Saturday*
saber *to know; to know how to (drive, etc.), to taste*
el sacacorchos *corkscrew*
sacar *to take out; to buy (tickets)*
salir *to go out*
salir bien *to turn out well*
salir mal *to turn out badly*
el salmón *salmon*
el salón *living-room*
saludar *to greet*
los saludos *greetings*
sano y salvo *safe and sound*
el santo *saint's day*
se *reflexive pronoun: oneself, himself, etc.*
se dice *it's said*
se ve *it's obvious*
sea, o — *that's to say*
seco, -a *dry*
la secretaria *secretary*
el secreto *secret*
sed, tener — *to be thirsty*
seguida, en — *at once, straight away*
seguido, acto — *shortly afterwards*
seguir (I) *to continue, go on*
según *according to*
el segundo *second*
segundo, -a *second*
seguramente *surely, certainly*
segurísimo, -a *most certain*
el seguro *insurance*
seguro, -a *sure, certain*
seguros, compañía de — *insurance company*
la semana *week*
la semana pasada *last week*
la semana que viene *next week*
el fin de semana *weekend*
sencillo, -a *simple, easy*
sentado, -a *sitting*
sentar bien (IE) *to do good, suit*
sentarse (IE) *to sit*
sentir (IE-I) *to feel; to be sorry for*
las señas *address*
señor *Mr; Sir*
señora *Mrs; lady*
señores *ladies and gentlemen*
señorita *Miss; young lady*
sepa, que yo — *to my knowledge*
setiembre *September*
ser *to be*
ser de *to belong to; to become of*
serio, -a *serious*
el servicio *service*
estación de servicio *service station*
la servilleta *napkin*
servir (I) *to serve, help*
servir de *to be of use*
la sesion *session*
si *if*
sí *yes*
sí *I do . . . (to mark emphasis in the verb)*
siempre *always*
siento, lo — *I'm sorry*
siguiente *following, next*
la silla *chair*
simpático, -a *nice*
sin *without*
sino *but*
el síntoma *symptom*
siquiera, ni — *not even*
el sitio *place*
algún sitio *somewhere*
ningún sitio *nowhere*
cualquier sitio *anywhere*
otro sitio *somewhere else*
soberbio, -a *superb*
sobra, de — *. . . to spare*
sobrado, -a *more than enough*
sobrar *to be left; to be too much*
sobre *on*
sobre todo *above all*
el sobre *envelope*
la sobrina *niece*
el socio *partner*
¡socorro! *help!*
solamente *only*
soler (UE) *to be in the habit of, be wont to*
sólo *only*
solo, -a *alone*
el sombrero *hat*
sonar (UE) *to ring (bell, 'phone); to sound*
sorprender *to surprise*
la sorpresa *surprise*
por sorpresa *by surprise, out of the blue*
su(s) *his/her/its/your/their*
subir *to go up; to take up*
la suegra *mother-in-law*
el suelo *floor*
el sueño *sleep*
la suerte *luck*
tener suerte *to be lucky*
suficiente *sufficient, enough*
suicida *suicide*
suponer (*like* poner) *to suppose*
el susto *fright*
suyo(s), -a(s) *his/hers/yours/theirs*

T

tal, con — *provided, so long as*
tal, ¿qué — ? *how goes it?*
también *also, as well, too*
tampoco *neither, not . . . either*
tan *so*
tantas veces *so often*
tantas, a las — *at this ungodly hour*
tantísimo *so very much*
tanto *so much*
mientras tanto *meanwhile*
por lo tanto *therefore*
tanto, -a *so much*
tantos, -as *so many*
taparse *to wrap oneself up*
las tapas *tit-bits, appetizers*
tardar *to be a long time*
tardar en *to take a long time to*
tarde *late*
la tarde *evening, afternoon*
hacerse tarde *to be getting late*
más tarde *later*
el taxi *taxi, cab*
el taxista *taxi driver*
te *to/for you* (fam.)
el té *tea*
telefonear *to telephone*
el teléfono *telephone*
la telefonista *operator*
el telegrama *telegram*
la televisión *television*
la temperatura *temperature*
temprano *early*
el tenedor *fork*
tener (IE) *to have*
tener que + *inf.* *to have to* + inf.
tener que ver (con) *to have to do (with)*
tener calor *to be hot, warm*
tener frío *to be cold*
tener ganas de + *inf.* *to feel like* + *. . . ing*
tener gracia *to be funny*
tener hambre *to be hungry*
tener prisa *to be in a hurry*
tener razón *to be right*
tener sed *to be thirsty*
tener sueño *to be sleepy*
tener suerte *to be lucky*
tercero, -a *third*
terminar *to finish*
la terraza *terrace*
terrible *terrible*
el territorio *territory*
ti *to/for you* (fam.)
el tiempo *time; weather; while*
a tiempo de *in time to*
la tienda *shop*
el timbre *bell*
llamar al timbre *to ring the bell*
la tía *aunt*
el tío *uncle*
el tío *bloke, guy*
el tiro *shot*
tirón, de un — *in one go*
todavía *yet, still*
todo *all, everything*
a todo correr *at full speed*
todo el mundo *everybody*
por todas partes *everywhere*
todo recto *straight ahead*
del todo *entirely*
en todo el/la . . . *all over . . .*
en todo caso *in any case*
no del todo mal *not too bad*
por encima de todo *whatever the cost*
sobre todo *above all*
todo, -a *all, every*
todos, -as *all, every*
tomar *to take; to have* (*drinks, etc.*)
tomar el pelo *to pull someone's leg; to, pull a fast one*
tomárselo con calma *to take it easy, calmly*
toros, corrida de — *bullfight*
la tos *cough*
toser *to cough*
la tostada (*a piece of*) *toast*
trabajador, -a *hard-working*
trabajar *to work*
el trabajo *work*
tomarse el trabajo *to take the trouble*
traer *to carry, take, bring*
el tráfico *traffic*
luces de tráfico *traffic lights*
el traje *suit*
tratar (de) *to deal (with)*
tratar de *to try, attempt*
se trata de *it's about, it concerns*
el tren *train*
tu(s) *your* (fam.)
tú *you* (fam.)
el/la turista *tourist*
turnarse *to take turns*
tuyo(s) *yours* (fam.)
el twist *twist* (*dance and tune*)

U

último, -a *last*

un *one; a, an*
único, -a *only*
dirección única *one-way (street)*
la universidad *university*
uno, -a *a, an*
unos, -as *some, a few*
urgente *urgent*
urgentemente *urgently*
usar *to use*
el uso *use*
uso, de — personal *for one's own use*
usted *you*
ustedes *you* (pl.)

V

va, ¡qué va! *not at all!*
las vacaciones *holidays*
vacío, -a *empty*
valer *to be worth*
el valle *valley*
varios, -as *several*
el vaso *glass, tumbler*
¡vaya! *well; oh!*
¡vaya manera de . . . ! *what a way to . . . !*
vaya, ¡que le — bien! *have a good time!, all the best!*
ve, se ve que . . . *it's obvious that . . .*
vecino, -a *neighbouring*
vender *to sell*
¡venga! *come on!*
venir (IE) *to come*
venir bien *to be suitable, suit*
la ventana *window*
la ventanilla *small window (of a car)*
ver *to see*
ver, a — *let's see*
ver, tener que — (con) *to have to do (with)*
el verano *summer*
curso de verano *summer course*
veras, ¿de veras? *really?*
la verdad *truth*
es verdad *it's true*
en verdad *indeed*
la verdad es que . . . *the truth is . . .*
¿verdad? *isn't it?, aren't you?, etc.*
verdadero, -a *true, real*
el vestido *dress*
vestir (I) *to dress*
vestirse *to get dressed*
la vez *time, occasion*
alguna vez *ever, (at) any time*
de vez en cuando *from time to time*
en vez de *instead*
esta vez *this time*
otra vez *again*
una vez *once*
a veces *sometimes*
algunas veces *at times, several times*
dos veces *twice*
muchas veces *many times, often*
pocas veces *few times, seldom*
viajar *to travel*
el viaje *journey, trip*
¡buen viaje! *bon voyage!*
la víctima *victim*
viejo, -a *old*
viene, que — *next, coming*
viernes *Friday*
el vino *wine*
la visita *visit; visitor*
visitar *to visit*
la vista *view*
a la vista *in sight, in view*
vista, hasta la — *I'll see you again*
el vistazo *look, glimpse*
echar un vistazo *to take a look*
vivir *to live*
el volante *steering wheel*
volar (UE) *to fly*
volver (UE) *to return, go/come back*
volverse *to come back; to turn round*
la voz *voice*
en alta voz *loudly*
el vuelo *flight*
la vuelta *return; change (of money)*
estar de vuelta *to be back*
hasta la vuelta *I'll see you on your return*

W

el whiskey *whisky*

Y

y *and*
ya *already, now*
¡ya voy! *I'm coming!*
yo *I*

Z

las zapatillas *slippers*
los zapatos *shoes*
el zumo *juice*
zumo de limón *lemon juice*

QUESTION AND ANSWER PRACTICE

1 Plano turístico de la ciudad de Burgos

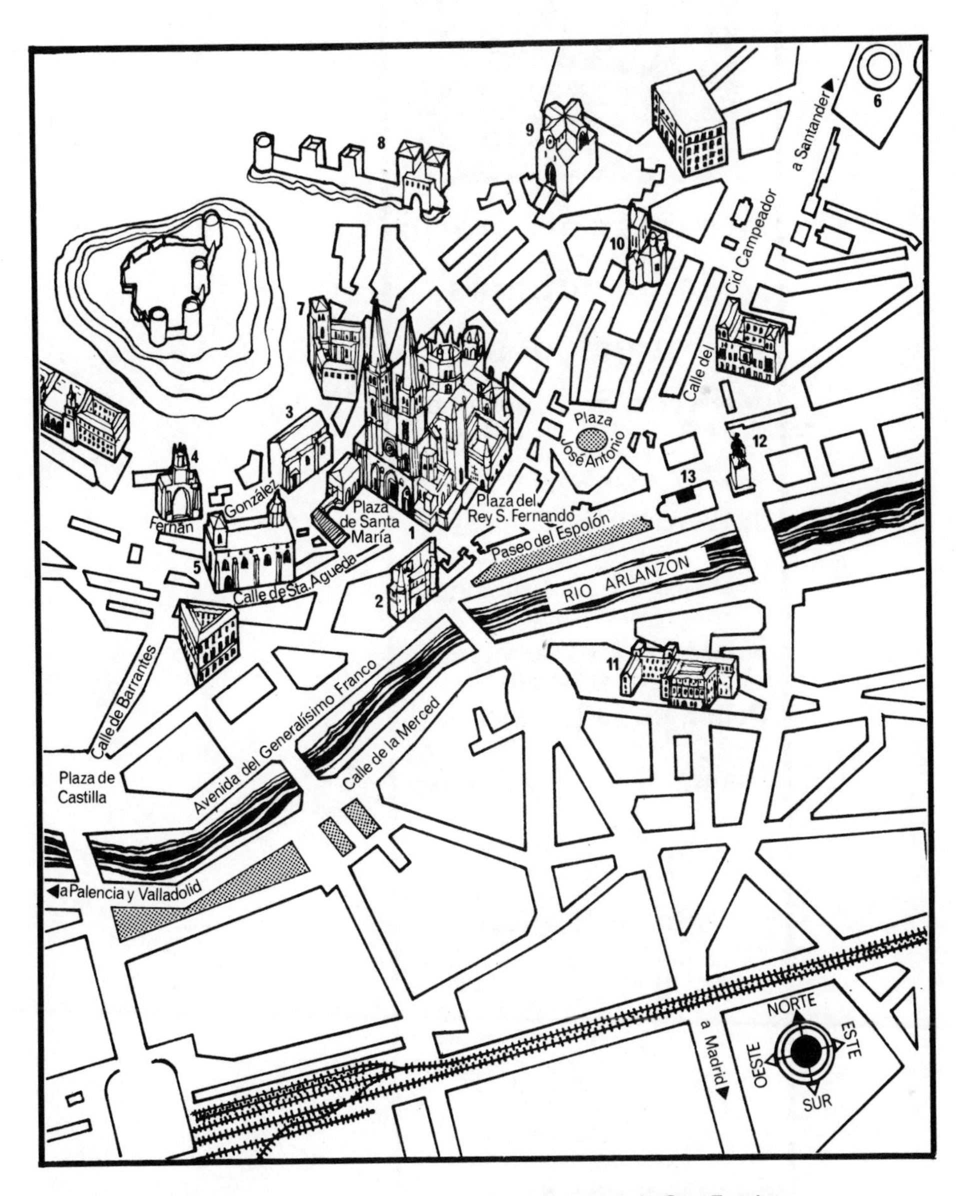

1 - La Catedral
2 - Arco de Santa María
3 - Iglesia de San Nicolás
4 - Arco de Fernán González
5 - Iglesia de Santa Agueda
6 - Plaza de Toros
7 - Iglesia de San Esteban
8 - Arco de San Esteban
9 - Iglesia de San Gil
10 - Iglesia de San Lorenzo
11 - Museo Provincial
12 - Estatua del Cid
13 - Oficina de Información y Turismo

2 Anuncio de circo en un periódico barcelonés

3 Pasaporte del señor Díez y de su esposa

2

SEÑAS PERSONALES.-(SIGNALEMENT)

Profesión (Profession): NEGOCIOS

Estado civil (Etat civil): CASADO

Lugar y fecha de nacimiento (Lieu et date de naissance): MADRID 5-MAYO-1928

Domicilio (Domicile): SAN BERNARDO 193 MADRID

ESPOSA (ÉPOUSE)

Profesión (Profession): SU CASA

Lugar y fecha de nacimiento (Lieu et date de naissance): BARCELONA 17-OCT-1933

HIJOS MENORES de 15 años
(Enfants de moins de 15 ans)

NOMBRE (Prénom)	LUGAR y FECHA de NACIMIENTO (Lieu et date de naissance)		SEXO (Sexe)
CARLOS	MADRID	1/1/57	V
MARIA	MADRID	6/7/59	H
ENRIQUE	TOLEDO	18/11/61	V
DOLORES	TOLEDO	18/11/61	H

reproduced by permission of The Spanish Embassy, London

4 Madrid – Zaragoza – Barcelona
Horario de trenes

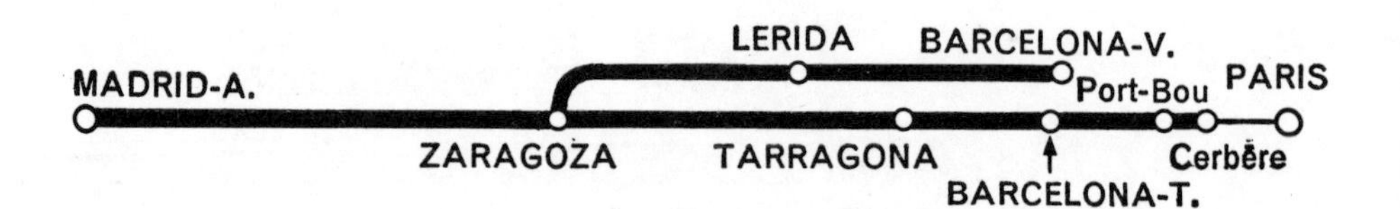

15		802	854	852	814	806	808	804
		Rap.	TER	TALGO	Exp.	Exp.	Costa Brava	Exp.
		1-3	1-2	1-2	1-2	1-2	1-2	
		×	×	×	②⑥④	×	🛏 ♀ ×	🛏 ♀ ×
MADRID-ATOCHA ...	S	**9.—**	**12.—**	**14.—**	**15.50**	**19.—**	**20.45**	**22.—**
Zaragoza-C. S.	LI	**14.57**	|	**17.44**	|	**0.28**	**1.32**	**2.46**
Zaragoza-A	LI	|	*16.04*	|	*22.30*	|	|	|
	S	|	*16.06*	|	*23.15*	|	|	|
Lérida	LI	|	*18.26*	|	*3.05*	|	|	|
Barcelona-V	LI	|	*21.20*	|	*7.50*	|	|	|
Zaragoza-C. S.	S	**15.09**	—	**17.49**	—	*0.38*	*1.44*	*2.58*
Reus	S	**19.52**	—	**20.44**	—	*5.20*	*5.51*	*6.59*
Tarragona	S	**20.14**	—	**20.59**	—	*5.42*	*6.12*	*7.19*
San Vicente C	S	**20.39**	—	|	—	*6.08*	*6.36*	|
Sitges	S	**21.08**	—	**21.32**	—	*6.38*	*7.01*	*8.08*
Barcelona-P. G.	S	**21.45**	—	**22.—**	—	*7.15*	*7.38*	*8.45*
BARCELONA-T.	LI	**22.—**	—	**22.15**	—	*7.30*	*7.53*	*9.—*
BARCELONA-T.	S	—	—	—	—	—	**8.14**	—
Calella	S	—	—	—	—	—	**9.10**	—
Blanes	S	—	—	—	—	—	**9.24**	—
Caldas de Malabella	S	—	—	—	—	—	**9.54**	—
Gerona	S	—	—	—	—	—	**10.11**	—
Flassá	S	—	—	—	—	—	**10.33**	—
Figueras	S	—	—	—	—	—	**11.14**	—
Port-Bou 🛃	LI	—	—	—	—	—	**11.44**	—
Cerbère 🛃	LI	—	—	—	—	—	**12.—**	—

🛏 : litera   × : coche-restaurante   ♀ : coche-bar   S: Salida   LI: Llegada
🛃 : Aduana   1–2–3: Primera, segunda o tercera clase   ① ② lunes, martes, etc.

5 Datos importantes de la vida de Carlos Arias

1930 Nace en Bilbao

1936 Va a vivir a Lérida

1941 Entrada en el colegio Calderón de Lérida

1948 Empieza estudios de medicina en la Universidad de Barcelona

1949–50 Servicio militar

1954 Termina estudios y se gradúa de médico

1954–58 Trabaja en el Hospital Central de Valencia

1959 Se casa con Carmen Moreno. Viaje de novios por Francia

1960 Nace su primer hijo, Carlos

1961 Se marcha a América y trabaja en Buenos Aires hasta 1964

1964 Vuelve a España. Abre consulta privada en Barcelona

1965 Nace su segundo hijo, Manuel

1967 Acepta un puesto de profesor en una universidad norteamericana

1968 La familia Arias se va a vivir a los Estados Unidos

6 Una página de la agenda del señor Ruíz

1969	*Agenda* **MARZO**
lunes 3 9.30 – ir al médico	**viernes 7** 6.00 – Recoger coche del garaje 9.00 – Teatro Goya
martes 4 1.00 – Almuerzo con Pedro en casa	**sábado 8** Cumpleaños de Anita . comprar flores
miércoles 5 10.00 – Reunión semanal con colegas Reservar billete avión	**domingo 9** visitar abuela
jueves 6 11.00 – ver abogado 10.00 – cena con los Medina	**NOTAS** Pagar cuenta de teléfono la semana que viene